PFERDE
SIGNALE

SCHAUEN, DENKEN, HANDELN

MENKE STEENBERGEN

JAN HULSEN

IMPRESSUM

Autoren
Menke Steenbergen
Jan Hulsen

Koautorin
Anneke Hallebeek

Fotos
Umschlagfoto: Crystal Craig, Dreamstime
Weitere Fotos: Menke Steenbergen, Jan Hulsen,
Anneke Hallebeek, Marcel Bekken und Arnd Bronkhorst

Illustrationen
Marleen Felius

Layout
Erik de Bruin, Varwig Design

Übersetzung
Agrolingua

Textbearbeitung
Birgit Brückner und Marion Tischer, www.vet-consult.de

Unter Mitwirkung von
Marije van der Vlist, Machteld van Dierendonck

Mit herzlichem Dank an
Aagje Hardeman, Wilfred Franken, Nelleke Krol, Rens Neef,
Aide Roest, Willem Brouwer, Klaske van der Horst. Unser
besonderer Dank gilt allen Pferdehaltern für die Einblicke in
ihren Betrieb, ihr Vertrauen und die inspirierenden Gespräche.

Bücher und individuelle Ausgaben

Roodbont Verlag
Postbus 4103
7200 BC Zutphen
Niederlande
T +31 (0)575 54 56 88
F +31 (0)575 54 69 90
info@roodbont.com
www.roodbont.com

Schulungen, Vorträge und Beratung

Centaur Paardenadvies
Dr. Stärckelaan 10
3734 XB Den Dolder
Niederlande
T +31 (0)30 2766935
T +31 (0)6 24460384
info@centaurpaardenadvies.nl
www.centaurpaardenadvies.nl

**Expertin für Tierernährung
Dr. Anneke Hallebeek**
Moerstraatsebaan 115
4614 PC Bergen op Zoom
Niederlande
T +31 (0)165 304 125
F +31 (0)165 303 758
www.voedingsadviespaard.nl

ISBN 978-90-8740-075-0

Dieses Buch hilft Ihnen dabei, Pferde nach und nach besser zu verstehen

und sie damit auch besser zu versorgen und zu behandeln.

Für alle Pferdefans

In diesem Buch geht es um das Wesentliche, um die Dinge also, die bei Pferden, ihrer Haltung und beim Umgang mit ihnen in jedem Fall zu beachten sind. Was ist eigentlich ein Pferd? Wie kann man am besten mit so einem Tier umgehen? Was braucht es, um sich körperlich und mental wohl zu fühlen? Wie kann man diese Bedürfnisse erfüllen und wie lässt sich das Befinden überprüfen?

Pferde sind keine Menschen

„Pferdesignale" zeigt Ihnen, wie Sie die Welt aus der Sicht des Pferdes betrachten können. Dabei wird immer berücksichtigt, dass ein Pferd ein Tier und eben kein Mensch ist. Eine Vermenschlichung der Pferde kann das Wohl der Tiere erheblich beeinträchtigen, z. B. wenn Pferde allein und nicht in Gruppen gehalten werden, anstelle mehrstündiger Futteraufnahmezeiten nur zu bestimmten Zeitpunkten gefüttert wird oder Tasthaare an der Nase aus ästhetischen Gründen entfernt werden.

Pferde argumentieren nicht; sie reagieren, lernen und assoziieren. Mit anderen Worten: Ein Pferd versteht Sie nicht, wenn Sie sagen: „Ich muss noch kurz zur Toilette, dann gehen wir reiten". Es kann allerdings positiv auf Ihre Körpersprache reagieren, denn Pferde erfassen Menschensignale viel besser als Menschen Pferdesignale, auc[h] wenn Sie noch so viel davon versehen.

Das Pferd hat immer recht

Häufig gibt es für ein Problem mehre[re] Alternativen oder Lösungen, aber nur ei[ne] Instanz, die letztendlich darüber entsche[i]det, ob das Richtige getan wird: das Pferd[.]

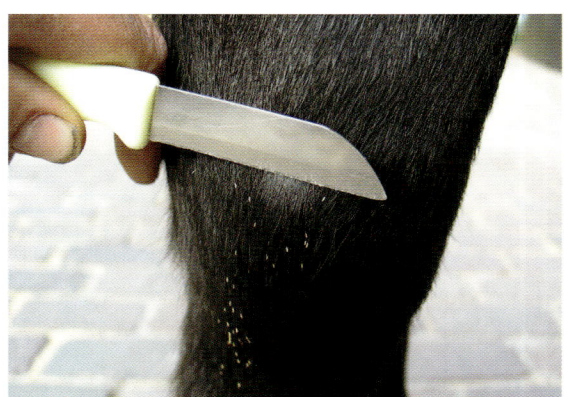

Sind die gelben Punkte an den Beinen gefährlich?

Warum nagt ein Pferd an Holz?

Wie können die Hufe sicher ausgekratzt werden?

Ein Buch für Pferdehalter und Pferdenutzer

Ganz offensichtlich gibt es zweierlei Ansätze und damit auch zweierlei Denkweisen, mit denen Menschen an Pferde herangehen: als „Nutzer" oder als „Halter". Ein Nutzer führt Handlungen mit dem Pferd aus. Ein Halter kümmert sich um die Unterbringung, die Ernährung und die Pflege. In einigen Kapiteln dieses Buches werden die Nutzer, in anderen die Halter und in wieder anderen beide angesprochen.

Pferdepflege ist das Werk von Menschen

Zahlreiche Grundprinzipien und Fachbegriffe aus der Welt der Pferde werden in „Pferdesignale" beschrieben und erklärt. So wissen Sie nach der Lektüre beispielsweise, wie „ein Handwechsel mit weicher Hand" funktioniert, während Sie „links begrenzt gut vorwärts-abwärts auf der Geraden" reiten. Nun ja, ganz ernst gemeint ist das natürlich nicht. Im Grunde geht es ganz einfach darum, den Blick zu schärfen, denn niemand weiß alles und jeder kann dazulernen. Wichtig ist es, nicht „betriebsblind" zu werden und irrtümlich zu glauben, es sei alles in bester Ordnung.

Drei Fragen als Grundlage: Was nehme ich wahr? Woher kommt das? Was muss ich tun?

Ihr Pferd vermittelt Ihnen ständig, wie es um seine Gesundheit, sein Wohlbefinden und seine körperliche Fitness bestellt ist. Die Kunst besteht darin, all diese Signale zu erfassen, zu verstehen und auch zu nutzen. „Pferdesignale" vermittelt Ihnen die Grundlagen, die Hilfsmittel und die Orientierungspunkte, die sie dafür brauchen.

Wie kann ich Verletzungen vermeiden?

„Durch besseres Beobachten mehr sehen"

Woher kommt Futterneid?

Friert mein Pferd im Winter?

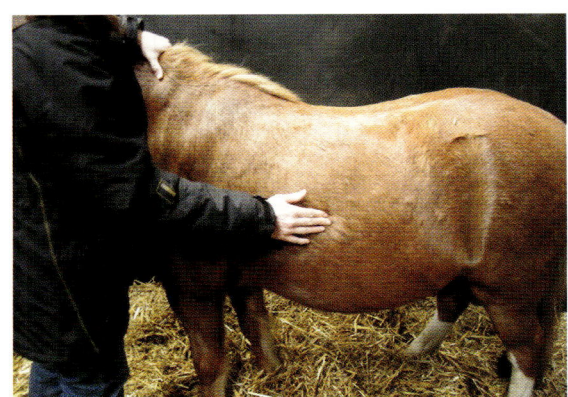

Wann ist ein Pferd zu dick?

KAPITEL 1

Pferde beobachten

Pferde zu beobachten macht nicht nur Spaß. Es hilft auch dabei, die Tiere zu verstehen. Und wer Pferde besser versteht, kann sie besser versorgen und besser mit ihnen umgehen.

Wer Pferde besser beobachtet, sieht automatisch mehr. Besser beobachten heißt, bewusst beobachten. Und bewusst beobachten bedeutet, sich immer zu fragen: Was genau nehme ich wahr? Wer dann noch versucht, die Ursache der Beobachtungen zu begreifen, lernt automatisch, wie Pferdesignale verstanden und auch genutzt werden können.

SUCHBILD

? Was will dieses Pferd sagen?

Pferde sind von Natur aus sehr neugierig und kontaktfreudig. Zur Begrüßung beschnuppern sie einander.

Das Wichtigste beim Reiten ist ein zufriedenes Pferd, das sämtliche Übungen in vollständiger Harmonie mit dem Reiter ausführt. Dabei basieren alle Übungen auf den natürlichen Verhaltensweisen und Bewegungen des Pferdes. Der Internationale Pferdesportverband FEI definiert ein glückliches Sportpferd wie folgt: „Die Entwicklung eines Pferdes zu einem ‚happy athlete' erfolgt über eine harmonische Ausbildung. So wird das Pferd ruhig, geschmeidig, locker und flexibel, und zugleich selbstsicher, aufmerksam und es gelangt zu einem perfekten Einvernehmen mit dem Reiter."

Ein glückliches Pferd

Alle, die mit Pferden zu tun haben, wünschen sich glückliche Pferde. Glückliche Pferde fühlen sich wohl, sind konzentriert und arbeiten gern mit Menschen zusammen.

Glücklich ist ein Pferd dann, wenn es sich wohl fühlt, und dafür muss es sein natürliches Verhalten ausleben können. Die Pflege und das Training müssen also so gut wie möglich auf dieses natürliche Verhalten abgestimmt sein.

Eine absolut natürliche Haltung ist natürlich nicht möglich. Solange das Pferd aber nicht bis an die Grenzen seines Anpassungsvermögens gelangt, ist das nicht dramatisch. Nähert sich ein Pferd dieser Grenze, nimmt seine Kooperationsbereitschaft ab und es ist schwieriger im Umgang mit Menschen und anderen Pferden. Außerdem nimmt die Gefahr eines Magengeschwürs zu.
Ein Tier, das sich nicht weiter anpassen kann, entwickelt Stalluntugenden (Stereotypien) wie Weben und Koppen.

Wenn Ihr Pferd sich wohl fühlt und gesund ist, kommt das auch Ihnen zugute. Das Tier:

- ist einfacher im Umgang,
- kann sich besser konzentrieren,
- bleibt gesünder und verursacht weniger Tierarztkosten,
- kann mehr leisten,
- kann länger eingesetzt werden.

Ein objektiver Blick

Sie können lernen, Ihr Pferd zu beobachten. Wer bewusst beobachtet, nimmt ganz von selbst mehr Dinge wahr. Stellen Sie sich dabei immer die folgenden Fragen und beantworten Sie sie in der angegebenen Reihenfolge:

1. Was nehme ich wahr?

Beschreiben Sie genau und objektiv, was Sie sehen, ohne die Beobachtung zu beurteilen (also auch nicht: gut, schlecht, klein, groß, mager, langsam usw.).

2. Woher kommt das?

Versuchen Sie zu erklären, wie die Auffälligkeit entstanden ist. Welche Ursache hat sie?

3. Was ist zu tun?

Stellen Sie sich die Frage, ob die Situation in Ordnung ist oder ob etwas verbessert werden kann. Ergreifen Sie erforderlichenfalls geeignete Maßnahmen.

Erfolgsfaktoren

Natürlich ist es wichtig, zu erkennen, was nicht gut ist oder verbessert werden kann. Noch wichtiger ist es aber, dass Sie wissen, was zu tun ist, damit alles gut läuft. Daher sollten Sie sich auch bei positiven Aspekten fragen: Woher kommt das? Wie ist diese Situation entstanden? Mit anderen Worten, Welches sind die Erfolgsfaktoren?

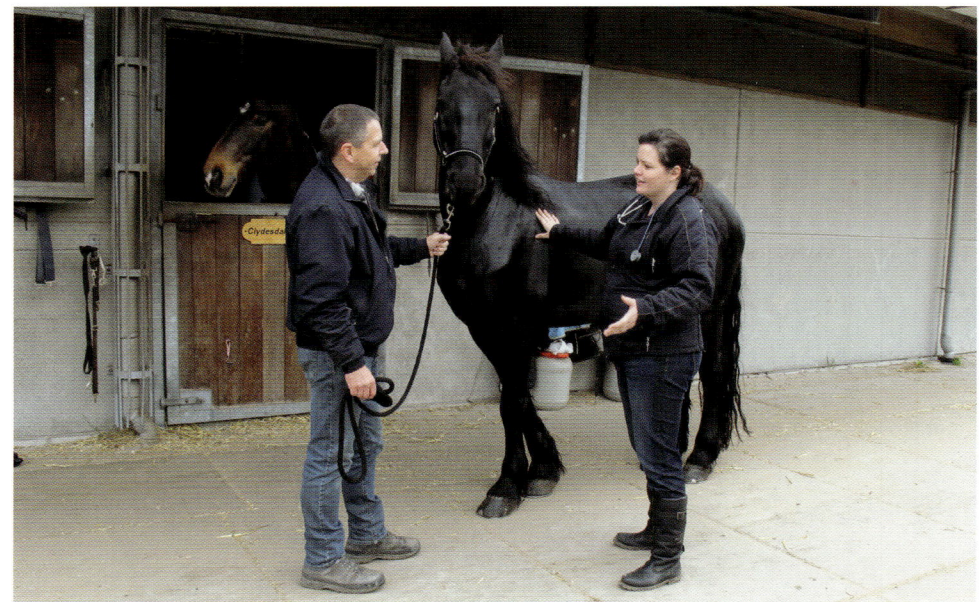

Wenn alles gut läuft, sind Tierarztbesuche lediglich für die präventiven Impfungen erforderlich. Bei dieser Gelegenheit sollten Sie den Veterinär auch um eine Einschätzung zur Gesundheit, Ernährung, Unterbringung und zum allgemeinen Zustand des Pferdes bitten. Der Tierarzt ist objektiv und sieht vielleicht Dinge, die Ihnen selbst nicht auffallen. Dasselbe gilt für andere Fachleute.

Was sehen Sie? Woher kommt das? Was ist zu tun?

SUCHBILD

1. Dieses Pferd lässt beim Reiten die Zunge aus dem Maul hängen.

2. Häufig ist das Gebiss die Ursache dafür. Dieses ist eventuell zu stark oder zu schwer. Vielleicht ist das Tier angespannt, weil es den Reiter schlecht versteht oder der Reiter zieht zu ruppig an den Zügeln. Möglicherweise stört auch ein zusätzlicher Zahn (Wolfszahn).

3. Lassen Sie das Maul von einem Gebissspezialisten kontrollieren, wählen Sie ein weicheres Gebiss oder bitten Sie um eine Beurteilung Ihrer Reittechnik und Ihrer Zügelführung.

Signale suchen

Bewusst beobachten heißt, gezielt beobachten. Suchen Sie nach Auffälligkeiten, die Ihnen Informationen über den Gesundheitszustand und das Wohlbefinden des Pferdes vermitteln. Achten Sie außerdem darauf, wie das Pferd beim Reiten auf Sie reagiert und vergleichen Sie die Situation mit derjenigen bei anderen Menschen und Pferden.

Gruppen- oder tierbezogene Signale?

Häufig betreffen die Signale nicht nur Ihr Pferd. Achten Sie auch auf Signale bei anderen Pferden. Wenn zwischen den Signalen und dem Stallmanagement ein Zusammenhang besteht, sind die Auffälligkeiten auch bei anderen Tieren zu beobachten.

Strukturen und feste Gewohnheiten

Strukturen erleichtern ein gezieltes Beobachten. Sie müssen genau wissen, wann auf bestimmte Aspekte zu achten ist, und erkennen, wenn etwas nicht rund läuft. Feste Gewohnheiten sind wichtig. Kontrollieren Sie beispielsweise täglich beim Ausmisten den Kot. Hat er sich im Vergleich zum Vortag verändert? Sind Würmer zu erkennen? Beim Bürsten können Sie auf die Muskelspannung im Rücken des Pferdes achten. Gespannte Muskeln deuten auf Schmerzen hin.

Beim bewussten Beobachten richten Sie den Blick vom Allgemeinen zum Detail und dann wieder zurück. Achten Sie also zunächst auf das Pferd in seiner Umgebung oder bei der Verwendung, dann auf Einzelheiten und anschließend wieder auf den Gesamteindruck. Finden Sie so Ihre eigenen Gewohnheiten.

! Beobachten und Lernen braucht Zeit

Mit Hilfen versuchen Reiter und Fahrer, ein Pferd dazu zu bringen, ihren Willen auszuführen: Zügelführung, Schenkeldruck, Haltungsänderungen, Gewichtsverlagerungen, Stimmgeräusche usw. Welche Hilfen sind hier zu erkennen? Die Reaktion des Pferdes zeigt, ob es die Hilfen versteht. Bei der Suche nach Lösungen ist Kreativität gefragt. Tauschen Sie sich auch mit anderen aus und diskutieren Sie über die möglichen Hilfen für das Pferd. Dieser Prozess dauert ein Leben lang und so lernen Sie immer besser Reiten.

? Was sehen Sie?

SUCHBILD

In diesem Stall nagen alle Pferde im Paddock an Holz. Die Ursache ist häufig ein höherer Bedarf an Ballaststoffen. Ändern Sie die Ration und den Fütterungsrhythmus, sodass die Pferde länger Nahrung zu sich nehmen können. Die Zeiten ohne Futteraufnahme sollten nie länger als 6 Stunden sein.

Ein unbefangener Blick

Beobachten Sie Ihr Pferd und beschreiben Sie, was Sie sehen. Seien Sie dabei immer objektiv und schalten Sie vorgefertigte Denkmuster aus. Ziehen Sie nicht zu schnell Ihre Schlüsse und seien Sie offen für Unbekanntes.

Rechnen Sie ständig mit unerwarteten Geschehnissen oder Dingen, von denen Sie noch nie gehört haben.

Nehmen Sie Ihre Beobachtungen immer ernst und ignorieren Sie sie nicht. Wenn auf eine Beobachtung keine Reaktion folgt, könnte es sein, dass Sie es später bedauern.

„Pferdeblindheit"

Pferde werden aus ganz unterschiedlichen Gründen gehalten. Warum beschäftigen Sie sich mit Pferden? Die Antwort auf diese Frage ist zugleich die Basis für Ihre Gespräche mit anderen Menschen und bestimmt, welche Dinge Sie sehen (oder auch nicht). So können Ihnen leicht wichtige Aspekte entgehen, weil Sie nicht darauf achten oder nicht darüber Bescheid wissen. Sorgen Sie dafür, dass Ihr Pferd nicht unter Ihren „blinden Flecken" zu leiden hat. Ein Gespräch mit anderen Pferdeleuten und Experten kann ab und zu sehr aufschlussreich sein. Schließlich geht jeder bei manchen Auffälligkeiten davon aus, sie seien normal oder nicht zu ändern, auch wenn dem nicht so ist. Dieses Phänomen nennt man im Alltag „Betriebsblindheit", und in unserem Fall eben „Pferdeblindheit".

- **Reiter:** *„Ist der aber temperamentvoll. Den reite ich bestimmt nicht."*
- **Züchter:** *„Ein schöner Brauner, sehr agil und viel Charakter. Bestimmt stammt er von Hengst X ab."*
- **Tierarzt:** *„Oh je, Torfmull auf dem Boden des Paddock. Dadurch erhöht sich das Verletzungsrisiko."*
- **Laie:** *„Das Pferd hat die Ohren angelegt. Es ist bestimmt wütend."*
- **Physiotherapeut:** *„Die Bauchmuskeln sind wunderbar angespannt. Damit wird der Rücken aufgewölbt und das Becken gekippt."*
- **Verhaltensexperte:** *„Das Pferd spielt. Es tobt sich einfach aus."*

Was Sie sehen, hängt vor allem davon ab, was wichtig für Sie ist. Wenn Sie Ihren Blickwinkel erweitern, erkennen Sie auch mehr.

Dieses Pferd beißt während des Aufsattelns in einen Pfahl. Die Reaktion des Reiters: „Das ist ganz typisch. Das macht er immer." Aber ist das wirklich so? Und kann das als Entschuldigung gelten? Das Pferd beschädigt so seine Zähne und den Pfahl. Warum macht es das? Will es damit etwas sagen? Lässt es sich ändern?
Nur Sie können entscheiden, ob eine Reaktion folgt. Die Verantwortung für das Verhalten des Pferdes liegt also immer bei Ihnen, nie bei Ihrem Pferd.

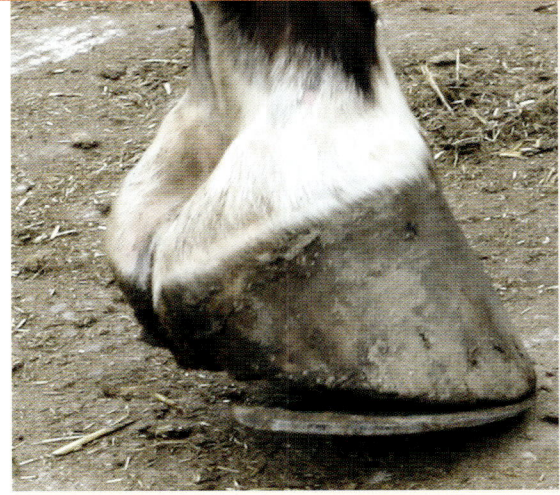

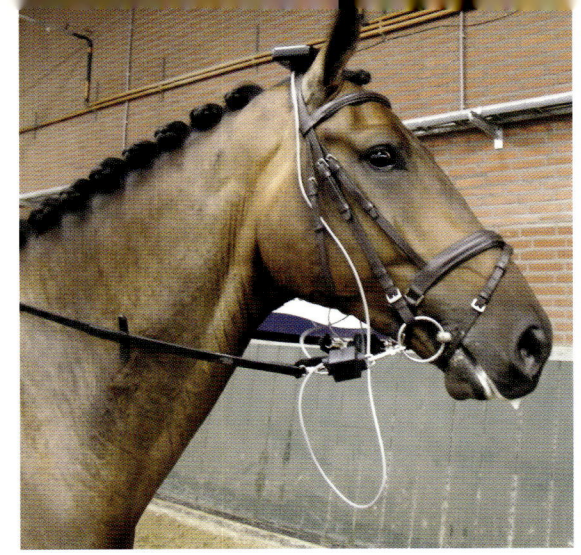

Trainieren Sie auch Ihr Gehör. Lauschen Sie ganz bewusst und erfassen Sie alle positiven und negativen Signale. Ein loses Hufeisen beispielsweise erzeugt ein typisches Klappern.

Dass ein Pferd dick ist, können Sie sehen, aber nur durch Fühlen finden Sie heraus, ob es wirklich Übergewicht hat. Muskeln fühlen sich viel härter an als Fett.

Fühlen lernt man nur durch Erfahrung und nicht aus Büchern. Daher kann auch der Einsatz von Messinstrumenten sinnvoll sein. Bei diesem Zügeldruckmesser zeigen Lampen an, wie viel Druck auf die Trense ausgeübt wird. So entwickeln Sie langsam ein Gespür dafür, welcher Druck richtig ist.

Junge Pferde müssen die Beine spreizen, um an das Gras zu gelangen, denn die Beine sind länger als der Hals.

Etwa die Hälfte aller Pferde stellt beim Grasen und zu anderen Zeiten immer dasselbe Bein nach vorn, das so genannte Vorzugsbein. Auf diese Weise werden die Füße unterschiedlich belastet und können sich unterschiedlich entwickeln. Der vordere Fuß wird breit und flach, der hintere schmal und hoch. Junge Pferde sollten daher regelmäßig von einem Hufschmied untersucht werden, damit ungleiche Hufe noch korrigiert werden können.

Mehr wissen durch Messen

Mit den eigenen Sinnen kann man schon viel erkennen, aber eben nicht alles. Verwenden Sie daher auch Messgeräte, etwa zur Analyse von Futtermitteln und Wasser sowie zur Ermittlung des Sattel- und Zügeldrucks. Auch die Luftqualität im Stall sollte auf der Höhe der Nüstern des Pferdes mit gesenktem Kopf von Zeit zu Zeit überprüft werden.

Strukturen und feste Gewohnheiten

Echte Pferdesignale sind immer wieder zu beobachten: heute, morgen, nächste Woche. Besprechen Sie sich mit anderen, wenn Sie nicht weiter wissen. So können alle voneinander lernen. Achten Sie auch bei anderen Pferden im eigenen Stall oder an anderen Orten auf Signale.

Woher kommt das?

Nach der Wahrnehmung folgt der Erklärungsversuch: „Woher kommt das?" oder „Warum macht das Pferd das?" Häufig gibt es mehrere mögliche Erklärungen. Allerdings hat ein Pferd keine menschlichen Gefühle und schon gar kein menschliches Denkvermögen. Wer Pferdesignale wirklich verstehen will, muss sich in das Tier hineinversetzen.

Warum macht das Pferd das?

Ganz allgemein gibt es bei Pferden drei mögliche Gründe für ein bestimmtes Verhalten.

1. Das Pferd will seine natürlichen Bedürfnisse befriedigen. So ist der natürliche Bedarf an Raufutter der Grund dafür, dass ein Pferd ständig auf etwas kauen möchte. Das kann bei einem Mangel an Raufutter auch die Holzwand des Stalls sein.
2. Das Pferd möchte Schmerzen oder Stress vermeiden oder lindern. Wenn etwa der Sattel nicht gut passt, drückt es seinen Rücken weg.
3. Das Pferd hat gelernt, dass ein bestimmtes Verhalten ein bestimmtes Ergebnis nach sich zieht. Wenn beispielsweise der Reiter Druck mit dem Schenkel ausübt, läuft das Pferd vorwärts und der Druck lässt nach.

BEISPIELE FÜR INTENTIONSBEWEGUNGEN

- Hin und her laufen in der Box: „Ich langweile mich und brauche Bewegung."
- Kopfschütteln: „Ich möchte irgendwo hinlaufen, ich möchte mitmachen."
- Maul oder Futtertrog ablecken: „Ich möchte fressen."

Es kann nicht, wie es möchte

In bestimmten Fällen können Pferde ihre natürlichen Verhaltensweisen nicht ausleben. Signale sind:

- Umgelenktes Verhalten: Das Pferd tut, was es möchte, aber auf andere Art und Weise. So knabbert es am Rand des Futtertrogs, wenn es fressen möchte, oder beißt sich selbst bei Bedarf nach sozialer Fellpflege (freundschaftliches gegenseitiges Beknabbern).
- Intentionsverhalten: Das Pferd zeigt den Beginn des von ihm gewünschten Verhaltens. Beispiel: Es streckt die Nase vor, wenn es einen Bekannten sieht (Schnuppern).

Das Verhalten wird stärker, wenn das Pferd davon ausgeht, dass das gewünschte Verhalten demnächst ausgeführt werden kann (Antizipationsverhalten).

Frustrationsverhalten

Kann ein Pferd das gewünschte Verhalten lange Zeit nicht ausüben, wird es frustriert und zeigt möglicherweise dauerhaft umgelenktes Verhalten oder Intentionsbewegungen. In diesem Fall spricht man von Stalluntugenden (Stereotypie).

Beispiele dafür sind Weben (hin und her wiegen), Boxenlaufen (Runden drehen im Stall), Krippensetzen (Beißen auf dem Rand des Futtertrogs) und Koppen. Wenn das Tier dann unverzüglich genügend Platz, Bewegung und Raufutter erhält und bei anderen Pferden untergebracht wird, kann die Stereotypie wieder verschwinden. Warten Sie aber zu lange, gewöhnt das Tier sich das Verhalten nicht mehr ab.

Scharren oder gegen die Tür Schlagen beim Füttern ist eine Intentionsbewegung, die ihren Ursprung im Wegscharren von Schnee hat, um so an das Futter zu gelangen. Das Pferd ist ungeduldig und will fressen. Stimulieren Sie das Pferd jetzt, indem sie es füttern. Mit viel Raufutter lässt sich dieses Verhalten verhindern.

Weben (hin und her wiegen) entsteht durch die Intentionsbewegung, wenn ein Pferd laufen oder bei etwas mitmachen möchte. Hilfsmittel wie dieses Webegitter verhindern, dass das Pferd das Verhalten ausführt, lösen aber nicht das Problem.

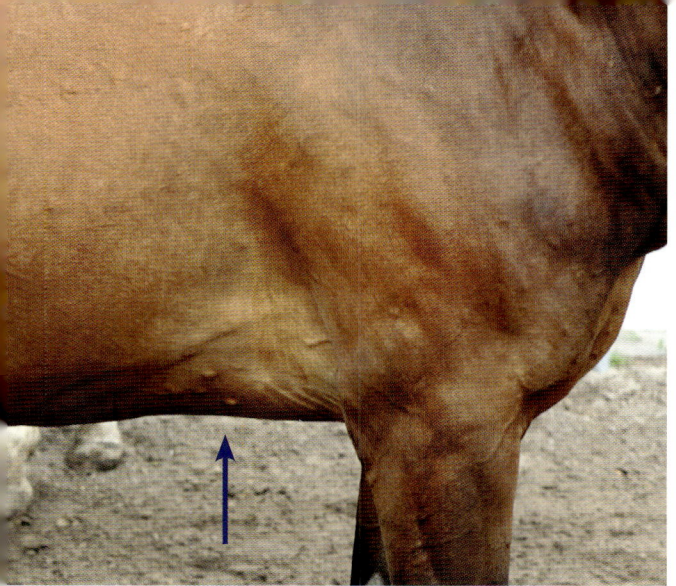

An der Stelle des Sattelgurtes sind Beulen auf dem Bauch. Dafür gibt es mehrere mögliche Ursachen: Insektenstiche, Druck durch den Gurt usw. Überprüfen Sie den Sattelgurt und konsultieren Sie den Tierarzt, wenn die Beulen Probleme verursachen.

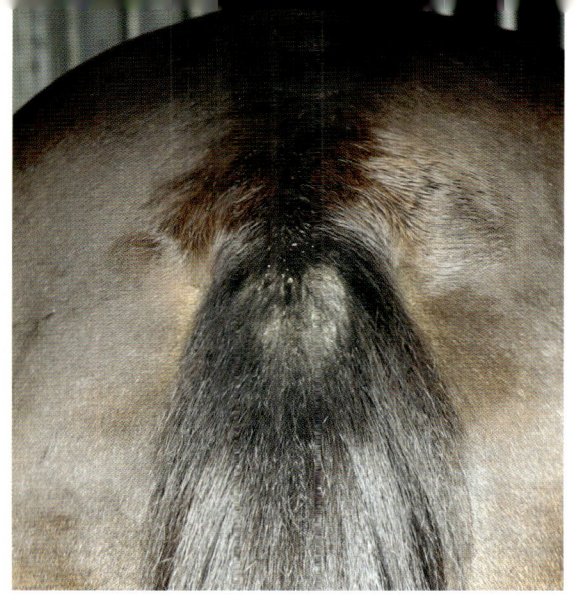

Der Schweifansatz ist kahl. Abgebrochene Haare lassen darauf schließen, dass das Pferd diese abgescheuert hat. Wahrscheinlich leidet es an der betreffenden Stelle unter Juckreiz. Mögliche Ursachen: Schweif- und Mähnenekzem (Irritationen durch Kriebelmücken) oder Madenwürmer (Darmwürmer, die ihre Eier um den After ablegen und dabei Juckreiz verursachen).

UVAs: unverstandene Auffälligkeiten

Manchmal fallen Dinge auf, für die man keine Erklärung hat. Solche UVAs, kurz für: unverstandene Auffälligkeiten, sind sehr lehrreich und können Anlass für Verbesserungen sein, wenn man sie dann doch verstanden hat. Auch ein Gespräch mit anderen bietet sich in so einem Fall an.

SUCHBILD

Was sehen Sie? Woher kommt das? Was ist zu tun?

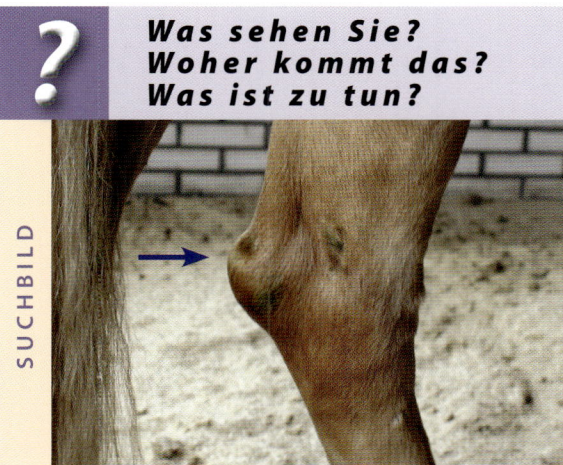

Das Bild zeigt eine Schwellung unter der Haut am Fersenhöcker, die nicht am Knochen festsitzt (eine sogenannte Piephacke). Es handelt sich dabei häufig um eine Druckstelle, die beim Aufstehen von hartem Untergrund entstanden ist. Was ist zu tun? Sorgen Sie für einen weicheren Untergrund. Siehe hierzu auch S. 38.

SUCHBILD

Eingreifen oder nicht?

Dieses Pferd ist im Zahnwechsel. Es besteht daher kein Handlungsbedarf. Allerdings lassen sich Schlüsse über das Alter des Tiers ziehen: Es ist etwa 3,5 Jahre alt. Näheres zur Schätzung des Alters erfahren Sie auf den Seiten 92 bis 93.

Interpretation von Pferdesignalen

Wer weiß, woher ein Signal kommt, kann auch entsprechende Maßnahmen ergreifen. Je nach Situation kann ein Pferdesignal folgendes bedeuten:

- Sehr gut! Sie sehen ein gewünschtes Verhalten. Finden Sie heraus, warum alles nach Wunsch läuft und fördern Sie dieses Verhalten.

- Es besteht kein Handlungsbedarf. Das Signal vermittelt aber häufig interessante Informationen.

- Zusätzliche Aufmerksamkeit ist erforderlich. Es besteht noch kein Grund zur Sorge, die Situation sollte aber genau beobachtet werden. Zu erkennen bei Risikoorten, -momenten und -tieren.

- Eingreifen erforderlich! Bei manchen Signalen muss unmittelbar gehandelt werden, auch wenn dies mit Unannehmlichkeiten verbunden ist.

Risikoorte

Orte, an denen ein Pferd mit Problemen konfrontiert werden könnte, nennen wir Risikoorte. Hier ist zusätzliche Aufmerksamkeit für Pferdesignale erforderlich, damit die Probleme vermieden werden können. Es geht hier um Orte, an denen ein Pferd leicht in Panik geraten, sich verletzen, giftige Dinge fressen oder sich Infektionen durch Viren, Bakterien oder Parasiten wie Magen-Darm-Würmer zuziehen kann. Versuchen Sie, die Risiken so weit wie möglich zu minimieren. Gelingt dies nicht, sorgen Sie dafür, dass das Pferd nicht mit den Problemen konfrontiert wird.

Ein Hengst kann bei anderen Pferden Unruhe und gefährliche Reaktionen auslösen.

BEISPIELE FÜR RISIKOORTE

(Schimmeliges) Stroh über einer Pferdebox führt dazu, dass das Pferd häufig Schimmelstaub einatmet, und ist daher eine Gefahr für die Atemwege. Was ist zu tun?

Bei kurzem Gras nimmt das Pferd wahrscheinlich auch viel Sand auf. Dadurch können sich Verdauungsprobleme und eine verzögerte Darmpassage und in der Folge Durchfall und Koliken ergeben. Was ist zu tun?

Dieser Jährling steht beim Fressen mit den Vorderbeinen im Mist. So werden die Hufe feucht und schmutzig. Es kann zu Strahlfäule kommen und die Hufe sind weniger belastbar. Was ist zu tun?

BEISPIELE FÜR RISIKOTIERE

Risikotier/-gruppe	Risiko
■ Spitzensportpferde	■ Magengeschwüre durch einen Mangel an Raufutter und durch Stress sowie Infektionskrankheiten durch häufigen Kontakt mit anderen Pferden
■ Ältere Pferde	■ Zahnprobleme und in der Folge Abmagern oder Koliken ■ Bestimmte hormonelle Erkrankungen, häufig an Veränderungen des Fells zu erkennen
■ Robustpferde wie Shetlandponys, Islandpferde, Fjordpferde und Haflinger	■ Verfettung und in der Folge Anfälligkeit für Hufrehe
■ Pferde in Aufzucht	■ Junge Pferde sind ungestüm und ziehen sich leicht Wunden und Verletzungen zu.
■ Verletzte Pferde in Boxenruhe	■ Unkontrollierbare Ausbrüche verschlimmern die Verletzung. Zu viel Stroh kann Darmverstopfungen und Bauchschmerzen (Koliken) verursachen.

Risikotiere

Bei manchen Pferden oder Ponys besteht ein erhöhtes Risiko, dass bestimmte Probleme auftreten. Ist dieser Umstand bekannt, können die betreffenden Probleme besser verhindert werden. Bei Risikotieren sollte zielgerichtet überprüft werden, ob sich ein bestimmtes Problem entwickelt.

Risikomomente

Viele Veränderungen und Ereignisse bergen Risiken. Auch hier gilt: Machen Sie sich die Risiken bewusst, versuchen Sie, diese zu minimieren und überprüfen Sie Ihr Pferd. Nur so können Sie die ersten Anzeichen erkennen und die Probleme im Keim ersticken.

BEISPIELE FÜR RISIKOMOMENTE

Die Trennung einer Stute von ihrem Fohlen (Entwöhnung) bedeutet vor allem für das Fohlen großen Stress. Zu den damit verbundenen Risiken gehören Magengeschwüre und die Entwicklung von Stalluntugenden (Stereotypien) beim Fohlen. Siehe hierzu auch S. 54.

Jede Veränderung beim Futter birgt ein Risiko für Darmstörungen und Koliken. Auf der Weide kommt es vor allem im Frühjahr und im Herbst zu starken Schwankungen beim Graswachstum und damit auch zu vielen Futterveränderungen.

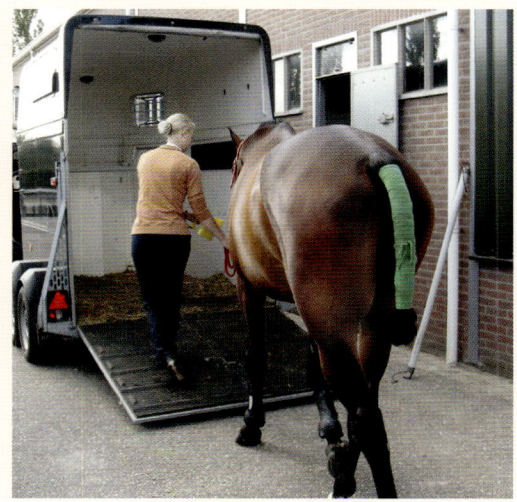

Wettkämpfe und Transporte verursachen Stress. Eine Fahrt im Anhänger bedeutet große Anstrengung und das Pferd befindet sich in einem stickigen Raum. Dadurch erhöht sich die Gefahr einer Atemwegserkrankung (Erkältung). Fahren Sie daher höchstens 2 Stunden ohne Pause und geben Sie dem Pferd (zwischendurch) staubfreies Futter auf dem Boden.

KAPITEL 2

Wie Pferde funktionieren

In der Natur leben Pferde in Herden, um so ihre Überlebenschancen zu vergrößern. Wenn ein Tier aufpasst, kann das andere ruhen.

Pferde sind, was sie sind: Gras fressende, in Herden lebende Fluchttiere. Die schwierigen Lebensbedingungen haben die Tiere neugierig und wissbegierig gemacht. Wie alle Herdentiere können Pferde führen und folgen, Freundschaften schließen und Körpersprache überaus gut lesen. Der Körperbau und die Muskulatur des Pferdes bestimmen, wie es sich richtig bewegt. Wer Pferde richtig halten will, muss das Wesen der Tiere und den natürlichen Lebensraum so gut wie möglich berücksichtigen.

Verhalten verstehen

Der wohl wichtigste Faktor besteht darin, dass Sie verstehen, wie ein Pferd auf Sie reagiert. Mit anderen Worten, wie Sie das Pferd mit Ihrem Verhalten beeinflussen. Nur dann ist eine optimale Zusammenarbeit möglich und nur so erlernt das Pferd nur gewünschte Verhaltensweisen. Versuchen Sie dabei auch, sich in das Pferd hineinzuversetzen. Berücksichtigen Sie, dass ein Pferd nicht logisch denkt wie ein Mensch, sondern aus seiner natürlichen Neugier und seinem Bedürfnis nach sozialen Kontakten heraus reagiert und lernt.

Allein sind Pferde unsicher und eher ängstlich. Zu zweit fühlen sie sich schon etwas sicherer.

FLÄCHENTIERE

Pferde leben von kargem Gras. Sie brauchen viel davon, um genügend Energie zu haben. Daher fressen Pferde in der Natur bis zu 16 Stunden, gleichmäßig über den Tag verteilt. Sie laufen viel auf der Suche nach Gras und Wasser, sie ruhen und sie wälzen sich in Sand oder Schlamm.

Laufen und fressen

Pferde brauchen viel Bewegung und wollen ihre Umgebung erkunden. Dabei suchen sie zum Beispiel neugierig nach dem besten Gras. Wenn keine große Grasfläche verfügbar ist, sollten Sie daher auf andere Weise für ausreichend Bewegung und viel Raufutter sorgen.

FLUCHTTIERE

Pferde sind Beutetiere, die bei Gefahr flüchten. Jedes Pferd in einer Herde ist deshalb ständig wachsam, achtet auf die anderen und auf die Umgebung. Die Tiere sind schnell und sehr ausdauernd.

Beutetiere sind anfällig. Die Flucht muss gefahrlos möglich sein. Außerdem haben Pferde ein gutes Gedächtnis. Sie wollen nicht zwei Mal auf die gleiche Weise in Gefahr geraten. Daher merken sie sich genau, wo, was aus welchen Gründen geschehen ist.

Aufpassen und lernen

Pferde erkennen schnell Zusammenhänge zwischen einem Ort, einem Reiz und einem Ereignis. Das ist praktisch, wenn ihnen etwas beigebracht werden soll. Aber ein Pferd lernt den ganzen Tag lang. So lehrt Panik, Erschrecken oder Ungeduld ihrerseits das Pferd, dass die betreffende Situation gefährlich ist. Sind Sie dagegen ruhig, lernt das Pferd, dass es keinen Grund zur Panik gibt.

GRUPPENTIERE

Pferde sind Gruppentiere. Gemeinsam ist es für das Tier sicherer, denn viele Augen sehen mehr als nur zwei.

Jede Gruppe wird von einer Leitstute angeführt, die weiß, wo Gras zu finden ist und wo keine Gefahr besteht. Die Gruppe folgt ihr. Innerhalb der Gruppe besteht eine bestimmte Rangordnung und es entwickeln sich Freundschaften. Pferde kommunizieren durch Körpersignale miteinander. Sie knabbern aneinander und kämpfen manchmal miteinander. Die Hengste beschützen die Stuten in einer Herde und kämpfen mit den anderen Hengsten um die weiblichen Tiere.

Körpersprache

Pferde können Körpersignale extrem gut wahrnehmen. Und sie reagieren schneller und besser darauf als Menschen. So übernimmt das Pferd auch Ihnen gegenüber eine Führungs- oder Folgerolle. Berücksichtigen Sie daher immer, dass Ihr Verhalten kontinuierlich Reaktionen Ihres Pferdes hervorruft.

Sehen – Hören – Riechen - Fühlen - Schmecken

Pferde orientieren sich vor allem durch Sehen, Hören und Riechen. Sie schauen und hören ständig auf Signale für Gefahren und Raubtiere. Und sie kommunizieren durch Körpersprache und Gerüche miteinander.

Sie können zwar schmecken, riechen und fühlen, sind aber beim Fressen nicht sehr wählerisch. In der Regel mögen sie gern Süßes und vermeiden bitteres Futter, beispielsweise giftige Pflanzen. Ihre Haut ist extrem empfindlich. Die Haut an Nase und Lippen ist mit Tasthaaren versehen und fungiert so als Tastorgan.

AUGEN

Die Augen stehen bei Pferden hoch an den Seiten des Kopfes. So kann das Tier einen Großteil seiner Umgebung mit einem Blick erfassen. Entfernungen kann ein Pferd nur nach vorn gut einschätzen, denn dafür werden beide Augen benötigt.

Was über seinem Kopf geschieht, sieht ein Pferd nicht. Wenn es also tief am Zügel geht, kann es nicht mehr gut nach vorn sehen. Kontraste helfen dabei, Entfernungen gut einzuschätzen. Daher springen Pferden öfter fehlerlos über Balken mit kontrastfarbenen Streifen als über einfarbige Balken.

Gesichtsfeld des Menschen

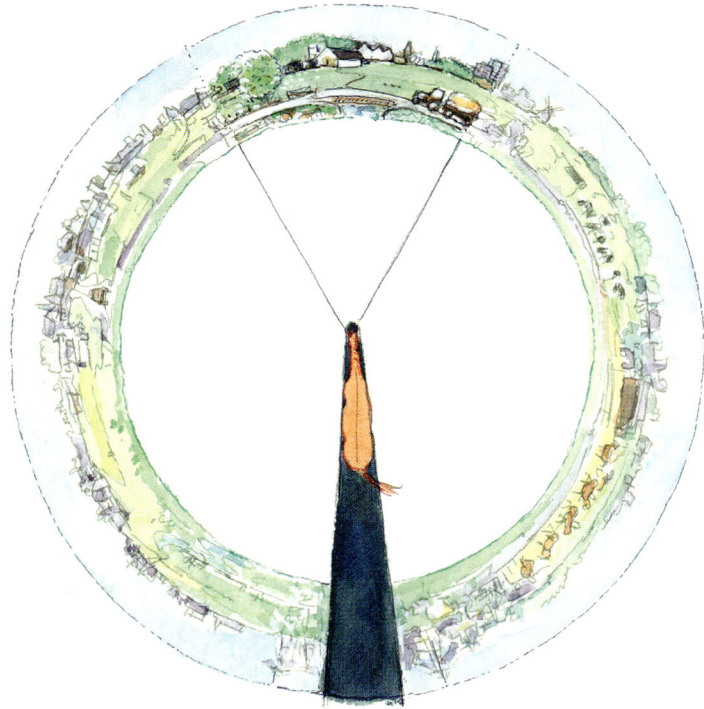

Im Grunde sieht ein Pferd also ein horizontales Band um sich herum. Aus diesem Grund dreht es schnell seinen Kopf zu dem Gegenstand hin, den es sehen möchte.

Mit erhobenem Kopf kann ein Pferd fast vollständig um sich herum blicken. Es achtet beim Sehen eher auf Bewegungen als auf Farben. Pferde sehen lediglich die Farben Blau und Gelb. Andere Farben können sie schwierig unterscheiden. Die obere Darstellung zeigt das Farbbild eines Menschen; darunter ist das des Pferdes dargestellt. In der Dämmerung sieht ein Pferd besser als ein Mensch: Dank eines Spiegels hinten im Augapfel wird das Licht durch die Netzhaut reflektiert.

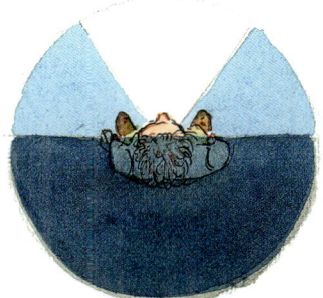

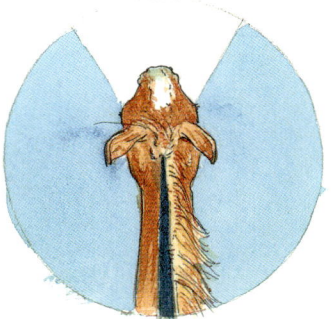

Das Blickfeld des Menschen (links) ist viel kleiner als das eines Pferdes (rechts). In dem Bereich, der mit beiden Augen wahrgenommen wird (weiß) kann das Tier Entfernungen am besten einschätzen. Das funktioniert auch mit einem Auge noch (hellblau), allerdings weniger gut.

Der Geruch spielt bei der Gruppenbildung und bei der Fortpflanzung eine wichtige Rolle. Wenn Pferde etwas Besonderes riechen, flehmen sie. Dabei wölbt sich die Oberlippe nach oben und es gelangt Luft in ein spezielles Riechorgan unter der Nase. Viele Gerüche werden über den Kot und den Urin verbreitet. Daher wird oft beschnuppert. Hengste oder Wallache legen gern ihren eigenen Kot darauf ab. Bringen Sie Ihrem Pferd bei, dies nicht während des Reitens zu tun, da es ansonsten bei jedem Kothaufen stehen bleibt.

Zur Begrüßung beschnuppern Pferde sich gegenseitig das Gesicht. Das machen sie auch bei Menschen. Wenn Sie das nicht wollen, strecken Sie Ihre Hand aus und lassen Sie das Tier daran schnuppern. Verängstigen Sie das Pferd nicht, indem Sie es wegschlagen, denn so leidet sein Vertrauen in Sie.

Die Lippen und die Tasthaare auf der Nase sind empfindliche Tastorgane. Pferde können ihre eigene Nase nicht sehen. Mithilfe der Tasthaare können Sie sorgfältig Gras auswählen und verhindern, dass die Nase im Futtertrog angestoßen wird. Außerdem werden damit andere Pferde beschnuppert. Schneiden Sie die Haare daher nicht vollständig ab.

Tonhöhe
(Hz)

maximal wahrnehmbare Tonhöhe Pferd

maximal wahrnehmbare Tonhöhe Mensch

20.000

10.000

optimales Gehör eines Pferdes

4000   wiehernde Stute

1000   normales Gespräch

0

Pferde hören mehr als Menschen. Im Gegensatz zum Menschen können sie beispielsweise eine Ultraschall-Hundeflöte wahrnehmen. Bei älteren Tieren geht die Fähigkeit, solche hohen Geräusche zu hören, etwas zurück. Gespräche zwischen Menschen haben in der Regel eine Frequenz von etwa 1000 Hz. Pferde können Ihre Stimme also gut hören.

?

TRAAAB? Versteht Sie ein Pferd?

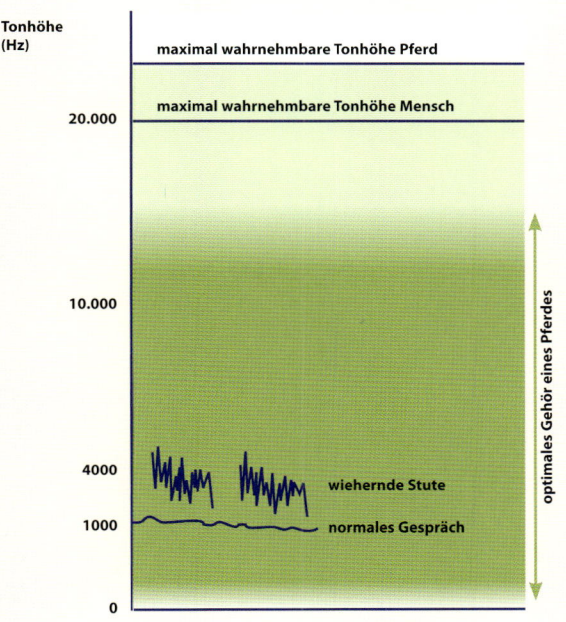

Pferde verstehen kein Deutsch. Sie können aber Klänge erkennen. Wenn Sie im selben Tonfall rufen oder sprechen, erkennt es keinen Unterschied zwischen BRAAAV und TRAAAB. Es hört nur, ob der Klang ruhig oder aktiv, böse oder zärtlich ist.

Durch Verdrehen seiner röhrenförmigen Ohrmuscheln kann ein Pferd ziemlich genau ermitteln, woher ein Geräusch kommt, ohne dafür den Kopf bewegen zu müssen. Für die Beobachtung der Umgebung ist das sehr praktisch. Für uns ist es ein Hilfsmittel, um zu erkennen, worauf das Pferd seine Aufmerksamkeit richtet. Die Ohren verraten es.

Kommunikation mit dem Körper

Pferde kommunizieren ständig miteinander, vor allem durch Körpersprache.

? *Was will Ihr Pferd Ihnen sagen?*

ENTSPANNT ODER ANGESPANNT

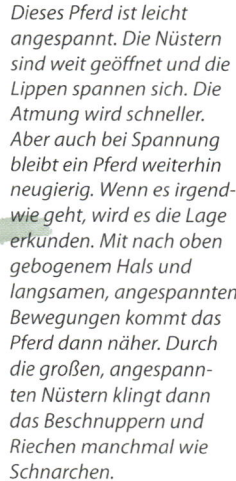

Bei einem entspannten Pferd ist der Hals horizontal, die Ohren stehen seitlich und ein Bein ist häufig unbelastet und ruht. Die Unterlippe hängt herunter und das Tier schläft manchmal sogar kurz ein. Einfach relaxed.

Dieses Pferd ist aufmerksam. Der Kopf wird gehoben, die Ohren richten sich auf die Stelle, der das Interesse gilt. Was ist denn da? Noch steht es still, aber mit seinen Ohren achtet es genau auf die Umgebung. Das Tier ist aktiv, aber nicht angespannt. Es atmet weiterhin ruhig.

Dieses Pferd ist leicht angespannt. Die Nüstern sind weit geöffnet und die Lippen spannen sich. Die Atmung wird schneller. Aber auch bei Spannung bleibt ein Pferd weiterhin neugierig. Wenn es irgendwie geht, wird es die Lage erkunden. Mit nach oben gebogenem Hals und langsamen, angespannten Bewegungen kommt das Pferd dann näher. Durch die großen, angespannten Nüstern klingt dann das Beschnuppern und Riechen manchmal wie Schnarchen.

Dieses Pferd ist angespannt. Zu erkennen ist das an der hohen Kopfhaltung, den großen Nüstern und den weit aufgerissenen Augen, in denen häufig das Weiße zu sehen ist. Bei zu großer Spannung ziehen Pferde die Flucht vor. Der Herzschlag wird schneller und die Atmung ist angespannt und stockend. Das Pferd macht sich groß und stark.

Dieses Pferd ist auf der Flucht. Fliehen ist die erste Reaktion, wenn dem Pferd etwas Angst macht. Ein verängstigtes Pferd verfügt über eine große Ausdauer und kann kaum aufgehalten werden. Gibt es keine Möglichkeit zur Flucht, steigt es möglicherweise.

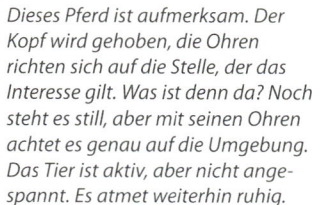

UNTERWÜRFIG ODER DOMINANT

Ein unterwürfiges Pferd muss in der Regel den ranghöheren Tieren Platz machen. Der Kopf ist dann gesenkt und die Ohren stehen seitlich.

Durch das Wegdrehen des Kopfes und das Anbieten der Schulter macht das Pferd Platz und zeigt so seinen Respekt. Fohlen und junge Pferde schnappen, um so ihre Unterwürfigkeit und ihre Aufregung zu demonstrieren. Bei älteren Pferden sind Reste dieses Verhaltens im Lecken und Kauen erkennbar. So zeigt das Pferd, dass es das Leittier akzeptiert. Eine gute Grundlage für eine Annäherung und einen ersten Kontakt.

Ein Pferd mit erhobenem Kopf will zeigen, dass es die Führungsrolle beansprucht. Manchmal schnappt oder schubst es dabei. Auch ein Stampfen mit dem Vorderfuß und ein Schütteln des Kopfes sind Dominanzsignale. Droh- und Einschüchterungsgebärden reichen meist aus, damit der andere versteht.

Mit der drohenden Hinterhand, einem Schlag mit dem Schweif und dem angehobenen Hinterfuß zeigt das Pferd, dass dies sein Bereich ist. Keinen Schritt weiter, sonst schlage ich aus.

Drohungen oder Angriffe mit gesenktem Kopf und flach angelegten Ohren sind ernst zu nehmen. Hier bin ich der Chef, also aus dem Weg. Manchmal entblößt das Pferd außerdem seine Zähne und ist so bereit, zu beißen. Vor allem Hengste kämpfen aggressiv und entschlossen um die Stuten in ihrem Harem.

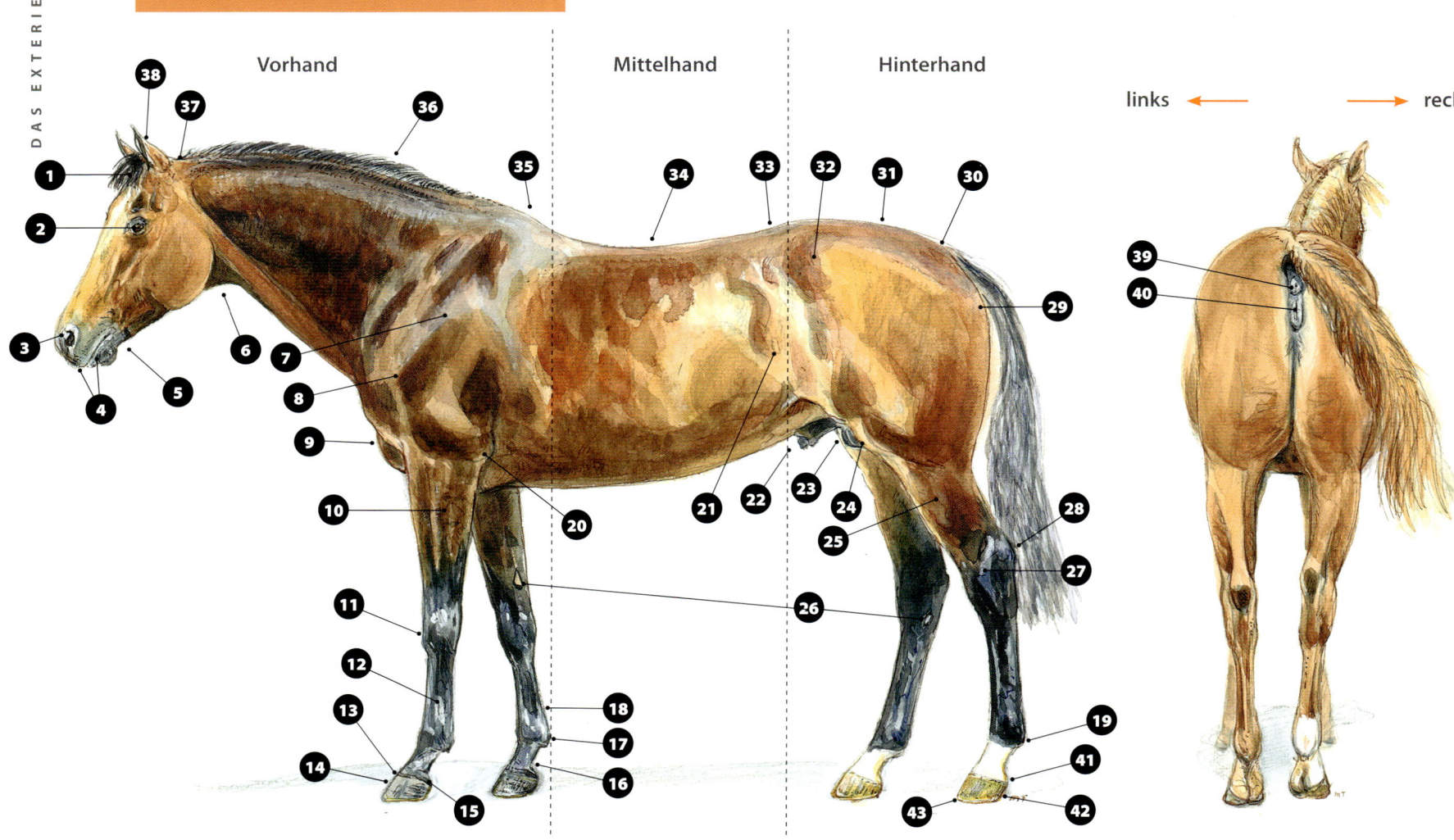

Vorhand   Mittelhand   Hinterhand

links ←   → rec

1. Schopf	12. Röhrbein	23. Hoden
2. Auge	13. Hufkrone	24. Knie
3. Nase	14. Huf	25. Schienbein
4. Lippen	15. Ballen	26. Kastanie
5. Kinngrube	16. Köte	27. Sprunggelenk
6. Kehle	17. Fesselgelenk	28. Fersenhöcker
7. Schulter	18. Beugesehnen	29. Sitzbeinhöcker
8. Bug	19. Kötenzopf	30. Schweifansatz
9. Brust	20. Ellbogen	31. Kruppe
10. Unterarm	21. Flanke	32. Hüfthöcker
11. Vorderfußwurzel	22. Schlauch	33. Lende

34. Rücken	
35. Widerrist	
36. Mähne	
37. Genick	
38. Ohr	
39. After	
40. Vagina	
41. Hufballen	
42. Trachtenwand	
43. Zehenwand	

DAS SKELETT EINES PFERDES

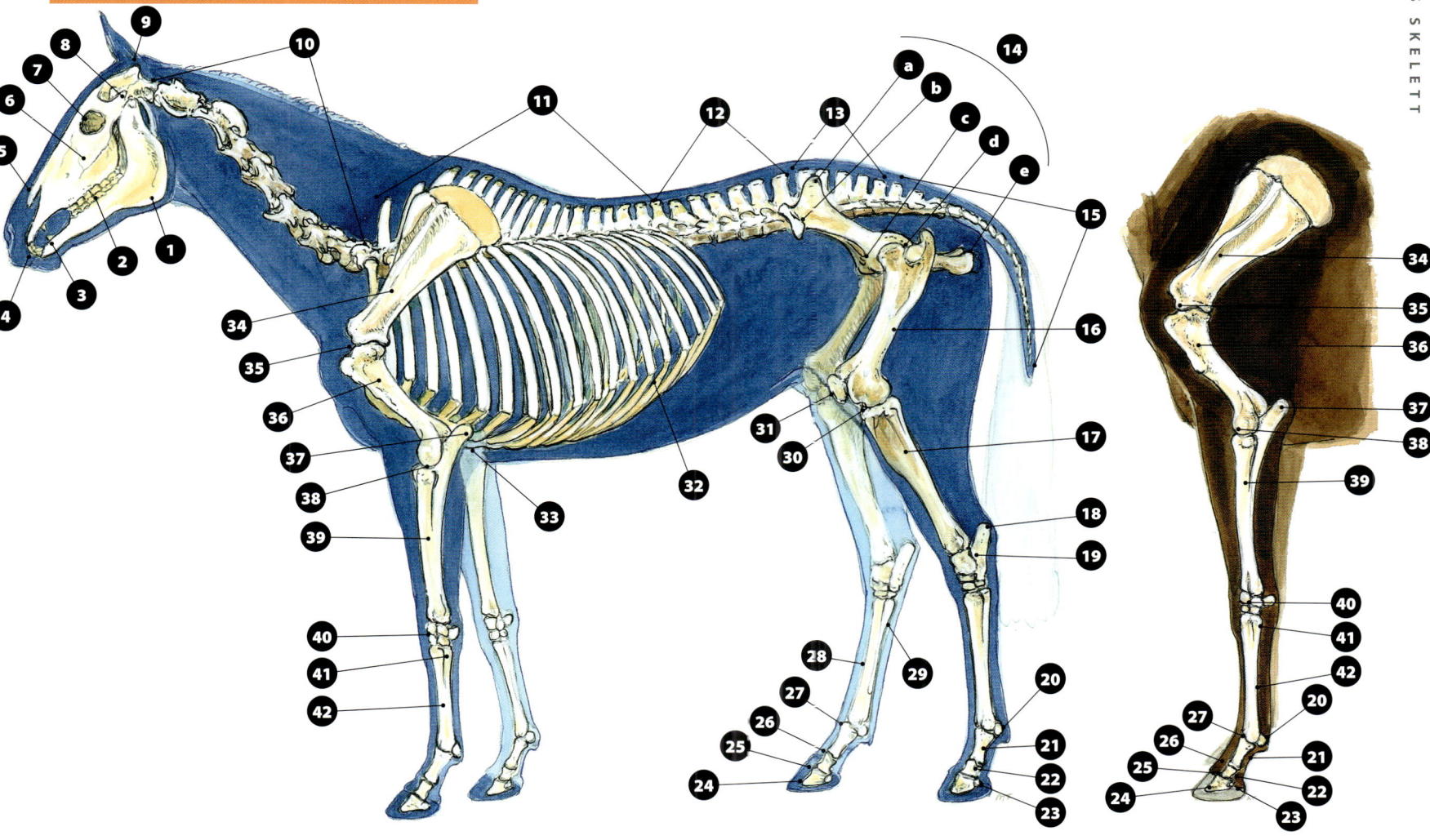

1. Ganasche
2. Backenzähne
3. Hakenzähne
4. Schneidezähne
5. Nasenbein
6. Jochbein
7. Augengrube
8. Kiefergelenk
9. Hinterhauptsbein
10. Halswirbel (7)
11. Brustwirbel (18)

12. Lendenwirbel (6)
13. Kreuzbeinwirbel (5)
14. Becken:
   a) Darmbein
   b) Hüfthöcker
   c) Schambein
   d) Hüftgelenk
   e) Sitzbeinhöcker
15. Schwanzwirbel
   (18-20)
16. Oberschenkelbein

17. Schienbein
18. Sprunggelenks-
   höcker
19. Sprunggelenk
20. Gleichbein
21. Fesselbein
22. Kronbein
23. Strahlbein
24. Hufbein
25. Hufgelenk
26. Krongelenk

27. Fesselgelenk
28. Röhrbein
29. Griffelbein
30. Kniegelenk
31. Kniescheibe
32. Rippen
33. Brustbein
34. Schulterblatt
35. Buggelenk
36. Oberarm
37. Ellbogen

38. Ellbogengelenk
39. Unterarm
40. Vorderfußwurzel-
   gelenk
41. Griffelbein
42. Röhrbein

Die Beine sind die Basis

Die Beinstellung beeinflusst die Bewegungen eines Pferdes, deshalb ist es wichtig, dass diese korrekt ist und keine Fehlstellungen vorliegen. Einem Pferd mit korrekter Beinstellung fallen die Bewegungen leichter, sie sind ausgeprägter und die Belastung wird gleichmäßig auf die Beine und Gelenke verteilt. Ein solches Tier ist weniger anfällig für Verletzungen.

1.   2.   3.   4.   5.

Vorderbein in Seitenansicht

1. Korrekte Stellung:
- Die Linie auf dem Schulterblatt (Kamm) steht in einem 45-Grad-Winkel zum Boden.
- Unterarm, Vorderfußwurzelgelenk und Röhrbein müssen eine senkrechte Linie zum Boden bilden.
- Die Fesselachse bildet einen 45-Grad-Winkel zum Boden.

2. Unterständig:
- Die Vorderbeine stehen von der Seite aus gesehen schräg nach hinten.
- Stärkere Belastung des Vorderbeins, weniger Raum greifender Gang durch verkürzten Schritt nach vorn. Pferd strauchelt leicht.
- Häufig verbunden mit steilem Schulterblatt.

3. Vorständig:
- Die Beine stehen nach vorn. Die Ursache kann auch eine Hufrollenentzündung oder Hufrehe sein.
- Stärkerer Verschleiß der Gelenke.
- Weniger Raum greifender und flotter Gang.

4. Rückbiegig:
- Das Bein ist bei der Vorderfußwurzel nach hinten gebogen, das Röhrbein steht allerdings senkrecht.
- Häufig verbunden mit weicher Fesselung (Durchtrittigkeit).
- Hohe Verletzungsanfälligkeit infolge erhöhter Belastung vor allem der Vorderfußwurzeln und den zugehörigen Bändern.

5. Vorbiegig:
- Die Vorderfußwurzeln stehen leicht nach vorn.
- Mögliche Ursachen sind auch erhöhter Verschleiß oder Muskelkontraktionen.
- Weniger gravierend als rückbiegig.

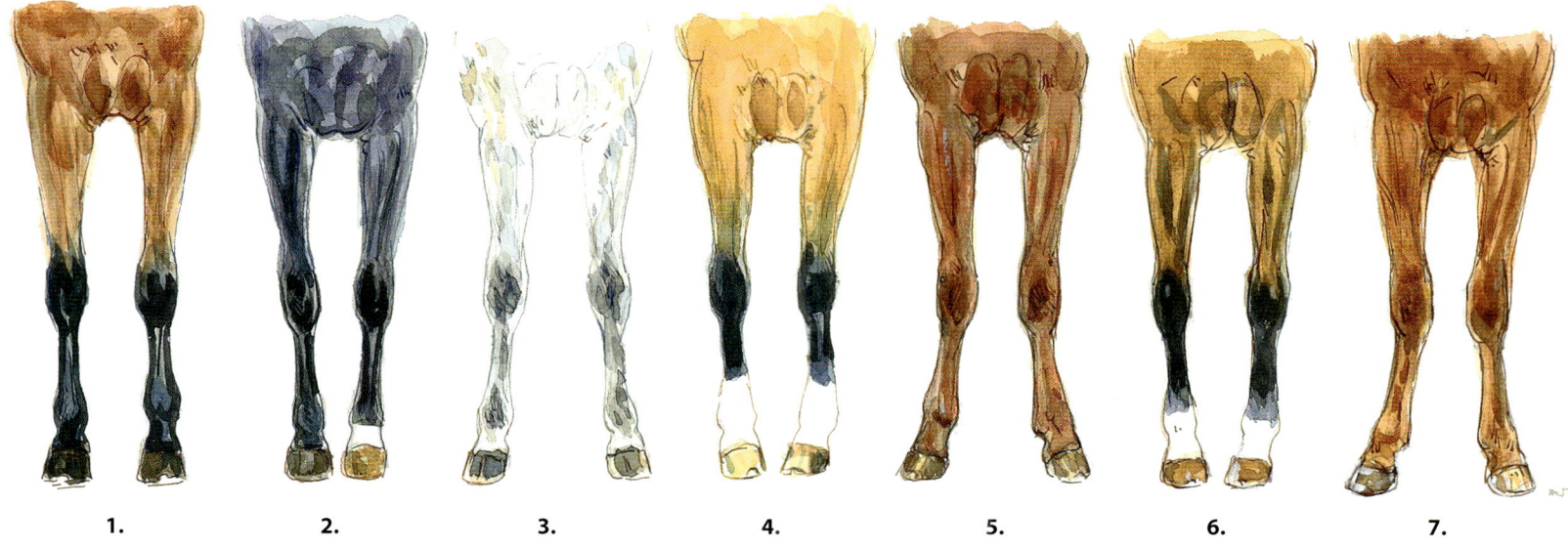

1.   2.   3.   4.   5.   6.   7.

Vorderbein in Vorderansicht

1. Korrekte Stellung:
- Beide Beine verlaufen über die gesamte Länge parallel.
- Der Abstand zwischen den Hufen am Boden beträgt eine Hufbreite.

2. Bodeneng:
- Der Abstand zwischen den Hufen ist zu klein.
- Tendenz, mit dem Huf am anderen Bein zu scheuern (Streichen).
- Größere Belastung der Außenseite des Beins.

3. Bodenweit:
- Der Abstand zwischen den Hufen ist zu groß.
- Tendenz zu wackelndem Gang.
- Größere Belastung der Innenseite des Beins.

4. Zeheneng:
- Die Vordefußwurzeln sind gerade, aber die Mittelhand (Hufachse) ist nach innen gedreht.
- Übermäßige Belastung der Außenseite der Mittelhand.
- Beim Laufen dreht das Pferd häufig das Bein erst nach außen und dann nach innen (Bügeln)

5. Zehenweit:
- Übermäßige Belastung der Innenseite der Mittelhand.
- Beim Laufen dreht das Pferd häufig das Bein erst nach innen und dann nach außen (Schnüren) und berührt eventuell das andere Bein (Streichen). In diesem Fall sollten Gamaschen verwendet werden.

6. O-Beine:
- Das Bein ist gebogen, der Abstand zwischen den Vorderfußwurzelgelenken zu groß.
- Tritt häufig in Verbindung mit zehenenger Stellung auf.
- Erhöhte Belastung des Vorderfußwurzelgelenks.

7. X-Beine:
- Das Bein ist gebogen, der Abstand zwischen den Vorderfußwurzelgelenken zu gering.
- Erhöhte Belastung des Vorderfußwurzelgelenks.

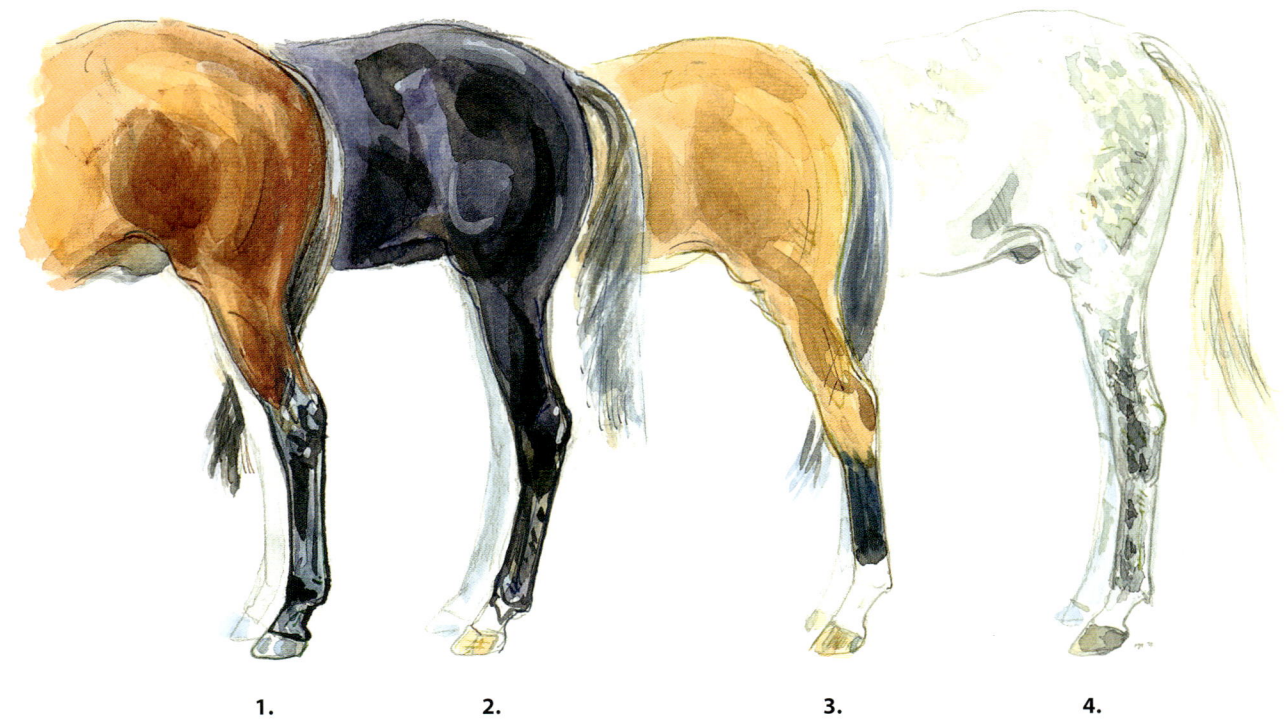

1. 2. 3. 4.

Hinterbein in Seitenansicht

1. Korrekte Stellung:
- Die imaginäre Linie (Lot) entlang der Rückseite der Hinterbacken, der Rückseite des Sprunggelenks, des Röhrbeins und der Rückseite des Ballens steht senkrecht zum Boden.
- Das Röhrbein steht im rechten Winkel zum Boden; der Winkel des Sprunggelenks beträgt 150 bis 160 Grad. Die Fesselachse liegt in einem 50 bis 55-Grad-Winkel zum Boden.

2. Vorständig:
- Die Hinterbeine stehen weit vor dem Lot unter dem Rumpf.
- Die Bewegung ist dadurch weniger flott.
- Gefahr, dass der Hinterhuf den Vorderhuf berührt und dadurch die vordere Fessel verletzt oder das Hufeisen abgeschlagen wird.

3. Rückständig:
- Die Hinterbeine stehen zu weit hinter dem Lot.
- Führt zu einer höheren Belastung des Rückens und der Lenden.
- Das Pferd kann das Hinterbein weniger weit nach vorn stellen, wodurch der Schub der Hinterhand geringer ist.

4. Steilstellung im Sprunggelenk:
- Das Sprunggelenk ist zu gerade, also zu steil, der Winkel ist zu groß.
- Genau wie ein zu kleiner Winkel im Sprunggelenk (Säbelbeinigkeit) ist diese Stellung der Bewegung des Pferdes nicht förderlich.
- Diese Fehlstellung ist häufig mit weicher Fesselung verbunden.

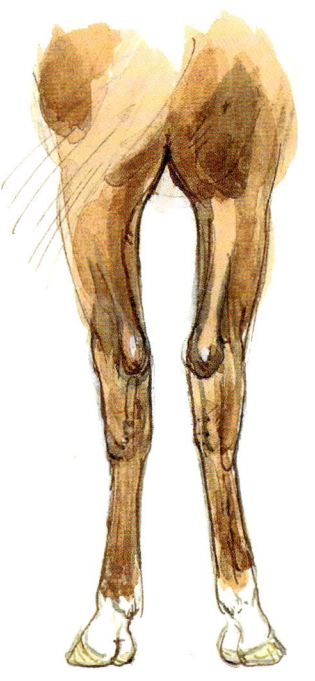

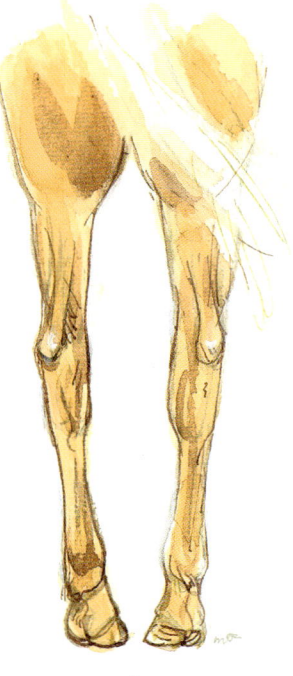

1.

2.

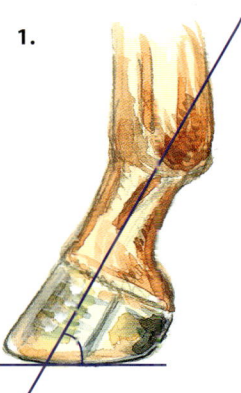

1.

2.

3.

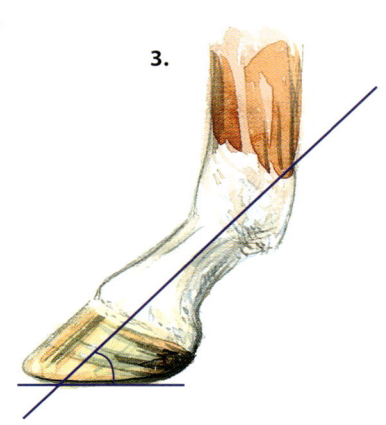

Hufstellung

1. Korrekte Stellung:
- Die Fesselachse verläuft durch Fesselbein, Kronbein und Hufbein. Diese muss gerade sein und in einem Winkel von 45 Grad zum Boden verlaufen.

2. Harte Fesselung:
- Der Winkel der Fesselachse zum Boden ist größer als 50 Grad.
- Die stoßdämpfende Wirkung der Fesselachse ist zu gering, wodurch es zur Überlastung der Gelenke kommt.
- Zum Teil mit einem Durchknicken des Fesselgelenks, dem „Überköten" verbunden.

3. Weiche Fesselung:
- Der Winkel der Fesselachse zum Boden ist kleiner als 45 Grad oder die Fußachse winkelt in Höhe der Hufoberseite zum Boden hin ab. In beiden Fällen ist das Fesselgelenk näher am Boden als gewünscht.

Hinterbein in Rückansicht

1. Kuhhessig:
- Der Abstand zwischen den Sprunggelenken ist zu klein.
- Solange der Abstand nicht allzu gering ist, treten bei dieser Fehlstellung kaum Probleme auf.

2. Fassbeinig:
- Der Abstand zwischen den Sprunggelenken ist zu groß.
- Sehr ungünstige Stellung, häufig durch eine Hinterhandschwäche verursacht.
- Häufig wird dabei beim Abfußen das Sprunggelenk nach außen gedreht.

Die Hufachse ist eine imaginäre Linie durch die Hufmitte. Diese muss senkrecht zum Boden verlaufen.

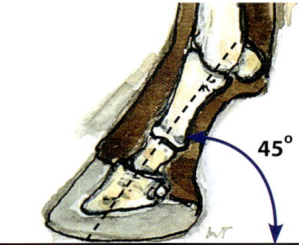

45°

Die Fesselachse verläuft durch Fesselbein, Kronbein und Hufbein. Diese muss gerade sein und in einem Winkel von 45 Grad zum Boden verlaufen.

Verstehen, wie ein Pferd sich bewegt

Die Abbildungen auf den folgenden Seiten illustrieren, welche Muskelgruppen des Pferdes bei bestimmten Bewegungen zum Einsatz kommen. Wer weiß und versteht, wie das Skelett und der Muskelapparat aufgebaut sind und funktionieren, kann auch ganz selbstverständlich für eine korrekte Bewegung des Pferdes sorgen. So wird die Arbeit erleichtert, die Ausdauer verbessert sich und das Pferd ist ohne Verletzungen und bereitwillig zu erheblich besseren Leistungen in der Lage.

SUCHBILD

Was verrät dieser Unterhals?

Dieses Pferd widersetzt sich dem Zügeldruck, indem es seine Unterhalsmuskeln anspannt. So entsteht die dicke Muskelmasse unten am Hals. Da der Oberhals den Kopf trägt, ist die Muskulatur hier immer gut ausgeprägt. Mithilfe der Unterhalsmuskulatur werden der Kopf gesenkt und der Hals nach links oder rechts gebeugt, was in der Regel nur wenig Kraft erfordert.

MUSKELN UND IHRE FUNKTION		
1	Unterhalsmuskulatur	Sorgen für die Abwärtsbewegung des Kopfes und biegen das Kinn zum Hals (nachgeben), nach links oder rechts (Links-/Rechtsstellung), bewegen Schulter und Vorderbein nach vorn, wichtig für eine Raum greifende Bewegung im Vorderbein.
2	Vorderfußstrecker	Heben den Vorderfuß an, biegen den Ellbogen und strecken das Vorderfußwurzelgelenk.
3	Oberschenkelmuskulatur	Bewegen das Hinterbein nach hinten (Strecken). Das Hüftgelenk streckt sich, das Kniegelenk beugt sich. So kann sich das Pferd vorwärts bewegen (Schub) und sein Gewicht auf dem Hinterbein tragen.
4	Bauchmuskulatur	Runden den Rücken und kippen das Becken, übertragen einen Teil der Tragkraft des Hinterbeins auf den Körper.
5	Rückenstreckermuskeln	Machen den Rücken des Pferdes hohl.

Was verraten diese Oberschenkelmuskeln?

SUCHBILD

Trotz des Trainings und der guten Ernährung ist die Oberschenkelmuskulatur dieses Pferdes nur schwach. Hüft- und Sitzbeinhöcker stehen hervor, weil sie nur von wenig Muskelmasse umgeben sind. Die Oberschenkelmuskeln ziehen die Hinterbeine nach hinten und tragen das Gewicht. So sorgen sie für die Vorwärts- und Aufwärtsbewegung des Pferdes. Damit die Hinterbeine weit genug unter dem Körper aufgesetzt werden können, muss das Pferd seinen Rücken beugen. Das ist bei diesem Pferd nicht der Fall und so werden die Hinterbeine unzureichend genutzt.

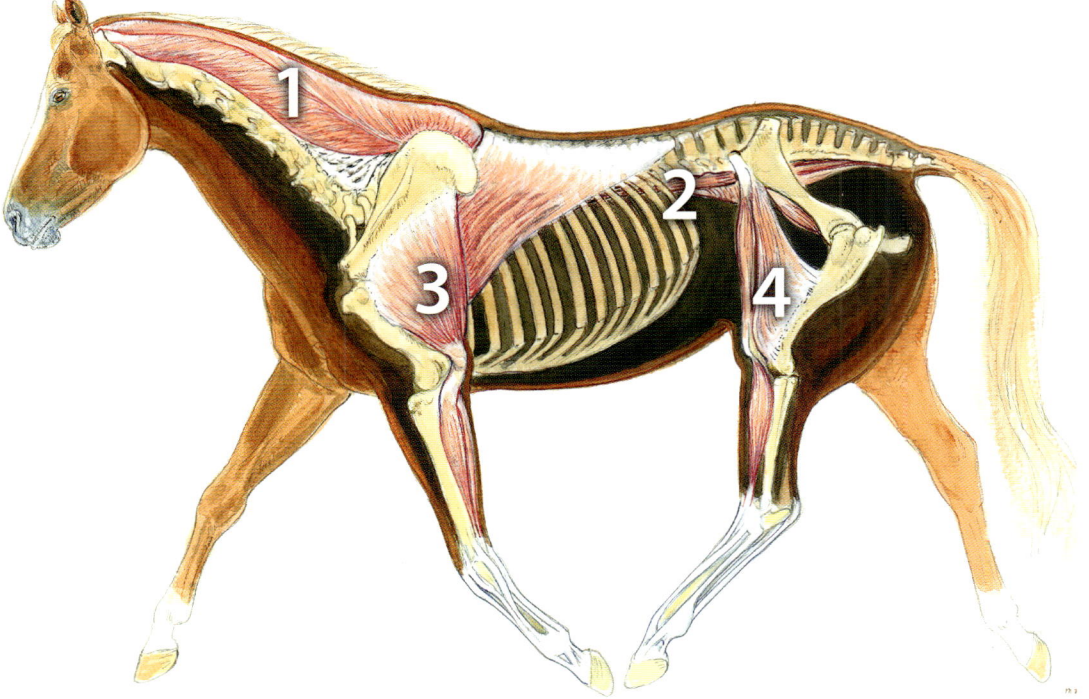

MUSKELN UND IHRE FUNKTION		
1	Oberhals-muskulatur und Sehnen	Heben den (schweren) Kopf an, wölben sich beim Nachgeben, wenn das Pferd den Kopf tief trägt.
2	Lenden-muskeln	Biegen den Rücken über die gesamte Länge sowie die Kruppe („Hinsetzen").
3	Armbeuger	Bewegen das Vorderbein nach hinten oder den Körper nach vorn, biegen die Schulter, strecken den Ellbogen und beugen das Vorderfußwurzelgelenk.
4	Beinbeuger	Bewegen das Hinterbein durch Beugen der Hüfte und Strecken des Knies nach vorn.

Im Stall

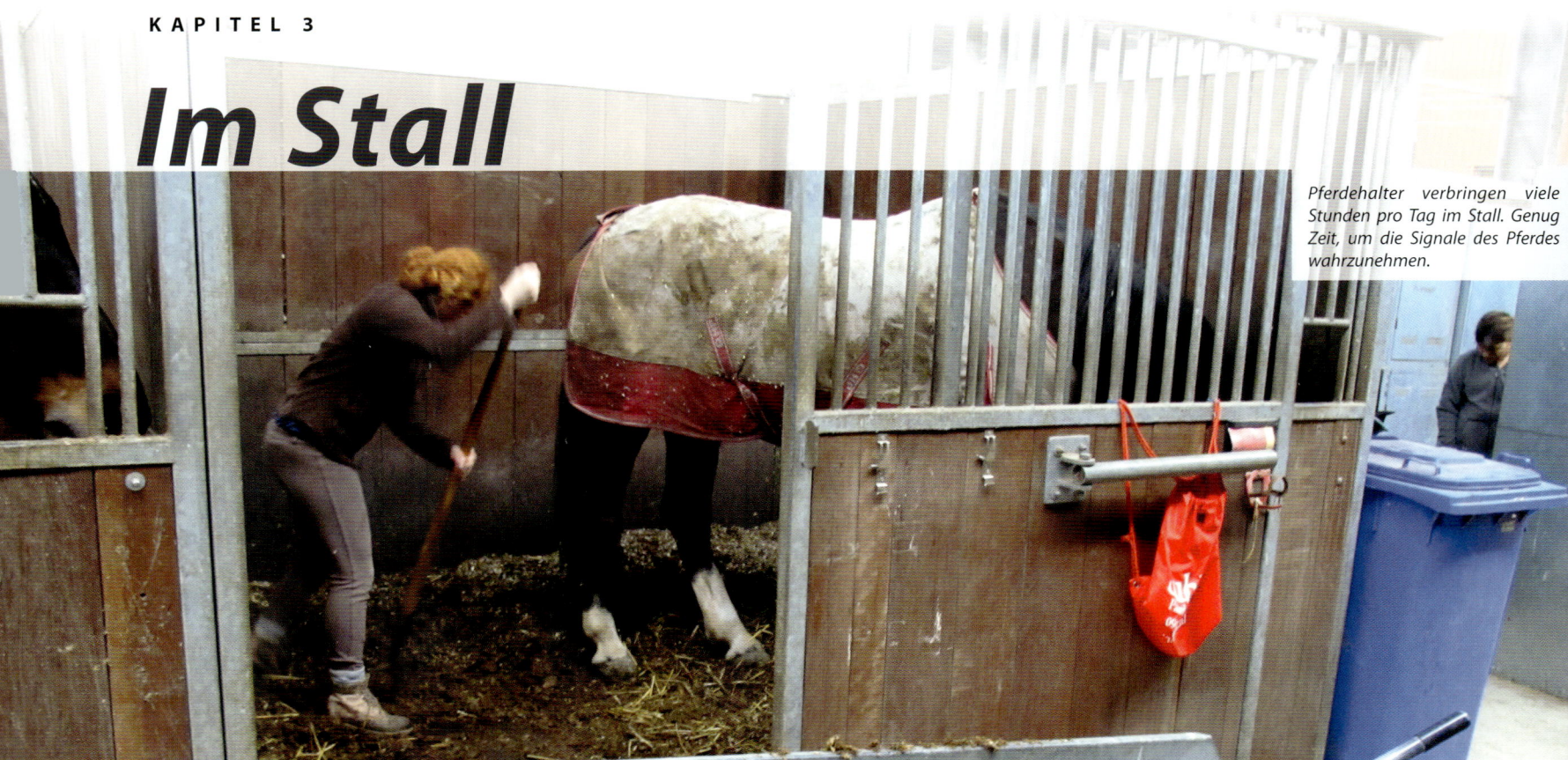

Ein guter Stall in Verbindung mit gutem Management, das sind die Schlüsselfaktoren für gesunde Pferde mit angenehmem, vorhersehbarem Verhalten. Pferde sind Herdentiere und brauchen daher den Kontakt und die Beschäftigung mit anderen Pferden. Außerdem brauchen sie unbedingt saubere und frische Luft. Kälte, Schnee, Sonne und Regen halten sie gut aus. Sie laufen viel und beobachten ständig ihre Umgebung.

Haltung = Gebäude + Pflege + Bewegung

In der Gruppe, in einem offenen Raum, mit dem richtigen Futter, ausreichend Wasser und viel Bewegung – so ist ein Pferd optimal untergebracht. Aber auch in nicht ganz optimalen Ställen können durch gute Pflege und viel Bewegung ein zufrieden stellendes Maß an Wohlbefinden und gute Leistungen erreicht werden.

*...enn ein Pferd frisch und unkon-
...ollierbar aus dem Stall kommt,
...at es zu wenig Bewegung gehabt.
...ferde sind von Natur aus sehr ruhi-
...e Tiere, die sich nur aufregen, wenn
...s nötig ist.*

*Bei zu wenig Bewegung sind Führanlagen
eine gute Alternative. So wird das
Bedürfnis des Tieres nach Bewegung
befriedigt. Ein echter Ersatz für freies
Bewegen, bei dem ein Pferd tun kann,
was es gerade möchte, sind sie aber nicht.*

*Pferde, die beim Abreiten nicht ruhig
gehen, haben zu viel Energie. Sie sollten während des Tages mehr Bewegung
erhalten. Beginnen Sie nicht im Galopp
oder Trab, um so Energie abzubauen, da
dann die Muskeln noch kalt sind und das
Verletzungsrisiko zu groß ist.*

Täglich ausreichend Bewegung

In der Natur laufen Pferde im Durchschnitt 10 bis 30 Kilometer pro Tag. Damit der Bewegungsdrang befriedigt wird, muss ein Pferd daher mindestens 4 Stunden am Tag außerhalb des Stalls auf der Weide, im Paddock oder beim Training verbringen. Bei Gruppenhaltung können sich die Pferde den ganzen Tag bewegen.

Ausreichende Bewegung hat folgende Vorteile:

1. Der Umgang mit dem Pferd ist sicherer, denn es ist bei der Arbeit weniger aufgeregt und kann seine Bewegungen besser kontrollieren.
2. Weniger Verletzungen durch stärkere Muskeln, Gelenke, Sehnen und Knochen.
3. Das Pferd kann länger eingesetzt werden, da weniger Verletzungen auftreten, seine Konstitution besser ist und weniger Übergewicht auftritt.

? Ist diese Box groß genug?

In einer Box kann sich ein Pferd nicht ausreichend bewegen. Es sollte darin zumindest liegen, aufstehen, sich umdrehen, fressen, trinken, abkoten und eventuell auch sich wälzen können. Die 4 Stunden tägliche Bewegung müssen in diesem Fall anders organisiert werden. Die minimale Größe einer Pferdebox bemisst sich in Pferdelängen. Die Mindestlänge beträgt die Länge vom Kopf bis zum Schwanz zuzüglich 50 cm. Das entspricht der doppelten Widerristhöhe. Die Mindestmaße (!) einer Box betragen also 2 x Widerristhöhe mal 2 x Widerristhöhe. Daraus ergibt sich bei großen Pferden:
(1,70 m Widerristhöhe): 3,40 x 3,40 m = 11,5 m².

*Herumtollen und Spielen sind gut für das Pferd, bergen aber auch
ein Verletzungsrisiko. Durch häufige Bewegung, genügend Platz,
einen sicheren Zaun und einen festen Untergrund lässt sich diese
Gefahr reduzieren.*

Sozialkontakte

Pferde sind Herdentiere und brauchen den ständigen Kontakt zu anderen Pferden. Eine Gruppenhaltung ist für sie ideal. Ist das nicht möglich, sollte das Pferd zumindest ein anderes Pferd sehen und berühren können.

In Gruppen gehaltene Pferde sind ruhiger, beißen weniger und lernen schneller.

Gruppenhaltung

Gruppenhaltung ist ideal für Halter, Reiter und Pferd. Sie ist mit weniger Arbeit beim Füttern und Stallpflege verbunden, der Stall ist besser gelüftet und auch die Kosten halten sich in Grenzen. Die Gruppenhaltung kommt dem Auffassungsvermögen des Pferdes zugute und verringert durch zusätzliche Bewegung die Verletzungsgefahr. Allerdings müssen die Räume sicher sein, das bedeutet: keine hervorstehenden Gegenstände, flacher Untergrund, keine spitzen Ecken und Kanten und genügend Ausweichmöglichkeiten.

Eine kleine Öffnung oder ein Spiegel im Stall können Auslöser für Frustrationen sein. Das Pferd möchte soziale Kontakte knüpfen, kann dies aber nicht.

ERFOLGSFAKTOREN BEI DER GRUPPENHALTUNG

Stabile Rangordnung
- Tiere unterschiedlichen Alters, unterschiedlicher Größe und unterschiedlichen Geschlechts
- möglichst wenig Veränderungen bei der Zusammensetzung der Gruppe
- langsame Heranführung neuer Tiere mithilfe eines abgetrennten Bereichs neben der Gruppe, hintere Hufeisen eventuell vorübergehend entfernen

Gutes Futtermanagement
- ein Futterplatz pro Tier

Sozial kompetente Pferde
- ab der Jugend in Gruppen mit älteren Stuten gehalten

Gruppengröße
- optimal: 3 bis 10 Pferde, in größeren Gruppen bilden sich Untergruppen

Genügend Platz:
- Am Anfang ist mehr Platz erforderlich. Wie viel das ist, bestimmt sich nach der gegenseitigen Aggression.
- Sorgen Sie mit Hindernissen für Ausweichmöglichkeiten.

Mindestgröße eines Gruppenstalls:
- entwöhnte Fohlen: 4 m² pro Fohlen
- Jährlinge: 6 m² pro Pferd
- ausgewachsene Pferde: 12 m² pro Pferd
- Stute mit Fohlen: 16 m² pro Stute

Wenn Sie dennoch eine Einzelhaltung bevorzugen, ist ein Auslauf ein guter Kompromiss So können die Pferde einander dennoch sehen und beknabbern (soziale Fellpflege). Die Zäune sind hier stabil und sicher. Der Boden ist mit Beton bedeckt. Dieser lässt sich leicht sauber halten, führt aber zu verstärktem Verschleiß der Hufe. Sand ist eine gute Alternative.

Bei einer offenen Stallvorderseite ist ein intensiver Kontakt zwischen den Pferden möglich und die Umgebung kann gut beobachtet werden. Wenn Pferde gut miteinander auskommen, kann auch die Zwischenwand teilweise geöffnet werden.

Ältere Stuten können Fohlen gut soziales Verhalten beibringen.

In der Aufzuchtphase müssen Pferde lernen, sich sowohl dominant als auch unterwürfig zu verhalten. Halten Sie die Pferde daher nicht nach Altersgruppen getrennt, sondern mischen Sie 1-, 2- und 3jährige in Gruppen mit gemischten Geschlechtern. Junge Tiere reihen sich zunächst unten in der Rangordnung ein und steigen dann jedes Jahr weiter nach oben.

Soziale Fähigkeiten

Die Rangordnung in einer Gruppe von Pferden gewährleistet die Stabilität. Grundsätzlich können Pferde aller Rassen und Größen miteinander in einer Gruppe gehalten werden. In einer heterogenen Gruppe ist die Rangordnung ausgeprägter. Es tritt weniger aggressives Verhalten auf als bei einer Gruppe mit Tieren desselben Alters und derselben Größe. Das Festlegen der Rangordnung dauert zwei Tage. Bis Freundschaften entstehen, vergehen mindestens zwei Wochen. Neu geborene Fohlen und ihre Mütter sollten in einem gesonderten Paddock einige Tage lang Gelegenheit haben, sich kennen zu lernen.

Gruppenverhalten gehört dazu

Pferde, die gelernt haben, sich sozial zu verhalten, nehmen in der Rangordnung eine bestimmte Position ein. Sie zeigen daher Rangordnungsverhalten. Bei aggressivem Verhalten handelt es sich bei Pferden in 80 % der Fälle um Drohgebärden.

Nur in 20 % der Fälle kommt es auch zum physischen Kontakt. Sozial aufgewachsene Pferde tragen dann in der Regel nur Schrammen davon. Potenzielle Anführer müssen schon einiges aushalten können.

Sport und Gruppenhaltung

In Gruppen gehaltene Pferde verhalten sich auch Menschen gegenüber sozialer. Sie zeigen ihren Pflegern und Trainern gegenüber weniger aggressives Verhalten (Beißversuche) und lernen deutlich besser. Und wenn ein Pferd für einen Tag oder kürzer zum Training aus der Gruppe entfernt wirkt sich das kaum auf seinen Platz in der Rangordnung und die Zahl der aggressiven Verhaltensweisen in einer Gruppe aus.

GRUPPENHALTUNG EIGNET SICH WENIGER FÜR:

- Deckhengste
- Pferde in Handelsställen
- Stuten mit jungen Fohlen
- nicht sozial aufgewachsene Pferde

TIPP!

Eine Gruppe kann auch aus nur zwei Pferden bestehen.

Futtermanagement

Aggressives Verhalten ist häufig beim Füttern zu beobachten. Die ranghohen Tiere möchten ihre Stellung dann auch demonstrieren. Verteilen Sie das Raufutter daher möglichst im Raum. Kraftfutter sollte immer individuell verabreicht werden, etwa nach dem Training oder in separaten Futterständen.

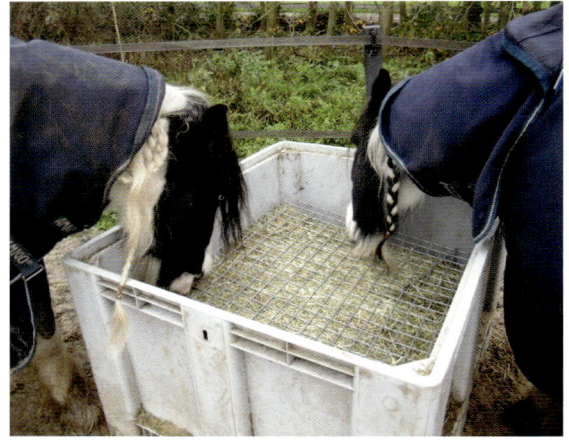

Wenn das Raufutter in mehreren Behältern mit Metallgittern verabreicht wird, können die Pferde den ganzen Tag davon fressen, ohne dick zu werden. Rangniedere Tiere können leicht zu einem anderen Behälter ausweichen.

Wenn das Futter auf dem Gelände verteilt wird, laufen die Pferde mehr. Das Futter sollte aber nicht auf dem Sand liegen, da sich dann leicht Sandkoliken entwickeln. Hier wurden Wege angelegt. So wird die Bewegung der Pferde noch stärker gefördert, da diese sich jagen.

Hier macht das mittlere Pferd den ranghöheren Tieren Platz. Da am Zaun genügend Platz ist, kann es aber an anderer Stelle weiter fressen. Der Paddock ist hier übrigens sehr nass. So steigt die Gefahr, dass Mauke, Strahlfäule oder Huferweichung auftreten. Eine bessere Entwässerung oder eine regelmäßig gereinigte Befestigung können Abhilfe schaffen.

Eine individuelle Verabreichung des Kraftfutters verhindert, dass die Pferde einander beim Fressen stören. Wenn sie einander beim Fressen sehen, werden sie leicht aggressiv gegen ihre Artgenossen, vor allem dann, wenn die Futtertröge nah beieinander sind. Sie lassen dann das Kraftfutter liegen, schlagen erst gegen andere Pferde aus und fressen dann schnell und hastig weiter. Durch die Trennung entsteht mehr Ruhe beim Fressen.

Ein einfacher Futterplatz für eine Gruppe von Pferden. Bei einem Tiefstall steigt die Bodenhöhe durch erneutes Einstreuen an. Achten Sie darauf, dass der Futtertrog nicht tiefer als der Boden liegt, auf dem die Pferde stehen.

SICHERE FRESSGITTER

Hier zwei Beispiele für einfache, robuste und sichere Fressgitter. Beim Bogenfressgitter (links) können sich die Pferde den Kopf nicht stoßen, wenn sie diesen aus dem Gitter ziehen. Stabgitter (rechts) müssen durchsichtig sein, damit die Pferde auch hinter sich schauen können.

Der Futtertrog

Konstruktion und Standort der Futtertröge im Stall müssen folgende Anforderungen erfüllen:

- Höhe: Bei nach unten gestrecktem Hals schleift sich das Gebiss auf natürlichere Weise ab. Für Ponys empfiehlt sich eine Höhe von 10 cm, für Pferde von 20 cm über dem Boden.
- Sicherheit: Das Pferd darf sich den Kopf nicht stoßen können, wenn es erschrickt.
- Sicht: Das Pferd muss während des Fressens die Umgebung im Blick behalten können.
- Hygiene: Das Futter darf nicht mit Mist oder Sand in Berührung kommen.

Trinkwasser

Eine Gruppe sollte über mindestens zwei Tränken verfügen. So kann jedes Pferd immer trinken, auch wenn eine Tränke verschmutzt oder defekt ist.

Der Rand dieser Futterraufe ist viel zu hoch. Sogar dieses große Pferd hat damit Probleme und kann das Futter kaum erreichen. Für die meisten Pferde und Ponys sind 50 cm eine gute Höhe. Im Zweifel: Pferd messen.

Tauschen Sie sich mit anderen über Auffälligkeiten aus, beispielsweise über einen Anschlag im Stall. Das ist vor allem dann praktisch, wenn nicht nur eine Person mit ein- und demselben Pferd umgeht.

Stroh oder kein Stroh?

Stroh wird am häufigsten als Einstreu verwendet. Mit Stroh ist der Untergrund weich, es ist preisgünstig, absorbiert gut und sieht sauber aus. Stroh kann aber auch Staub verursachen und es bindet keinen Ammoniak. Pferde fressen das Stroh auch. Es bildet damit eine gute Ergänzung zum Raufutter. Wird zu viel Stroh gefressen, können sich aber Koliken entwickeln. Bei Pferden mit Atemwegsproblemen kann eine alternative Einstreu verwendet werden, beispielsweise Holzspäne, Sägemehl oder Flachs.

Mithilfe von Gummimatten im Stall lässt sich die erforderliche Einstreumenge verringern. Achten Sie darauf, dass diese weich genug, nicht glatt und leicht zu reinigen sind.

Weich und trocken

Das Ausmisten von Einzelboxen erfordert durchschnittlich 11 Minuten pro Pferd und Tag. Jedes Pferd verbraucht täglich etwa 5 kg Stroh. In einem Stall mit 40 Pferden ist also eine Person den ganzen Tag mit Ausmisten beschäftigt und es werden etwa 200 kg Stroh pro Tag verbraucht. Eine Gruppenhaltung ermöglicht ein schnelleres Ausmisten und reduziert den Einstreubedarf.

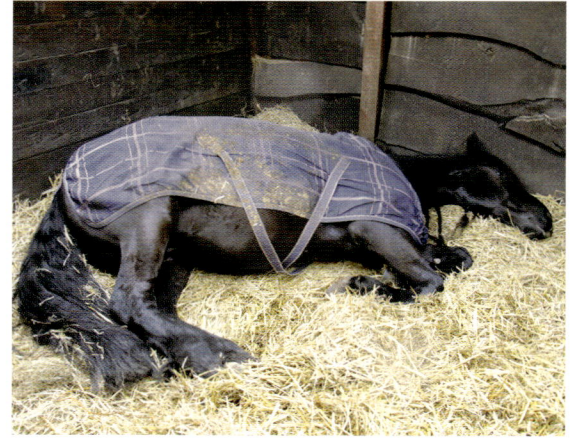

Der Boden im Stall muss weich und trocken und darf nicht zu glatt sein. Nur dann kann sich das Pferd gerne und leicht hinlegen. Pferde können auch im Stehen schlafen. Lieber legen sie sich aber 30 bis 40 Minuten pro Tag hin. Im Liegen kann das Pferd besser ausruhen. So ist es entspannter und kann Stress besser bewältigen. Liegt Ihr Pferd manchmal im Stall?

Auch bei Gruppenhaltung ist ein Strohbett sinnvoll, denn Pferde urinieren gern in Stroh, wahrscheinlich deshalb, weil es dann nicht spritzt. Denken Sie auch unterwegs daran. Pferde können schmerzhafte Blasenkrämpfe bekommen, weil sie wegen der Spritzer nicht auf Steine oder in den Anhänger urinieren wollen.

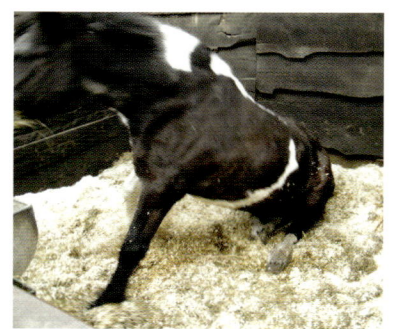

Regelmäßiges Hinlegen und Aufstehen kann bei harten Böden zu Reizungen am Fersenhöcker führen. Die dort entstehende Schwellung, eine sogenannte Piephacke, schmerzt nicht, bildet sich aber nicht zurück.

MACHEN SIE DEN KNIETEST

Lassen Sie sich 3 Mal auf die Knie fallen. Wenn Sie keine Schmerzen haben und die Knie trocken bleiben, ist der Stallboden in Ordnung.

Durch direkte Sonnenein-strahlung kann es im Stall sehr warm werden. Lichtplatten sollten an der Nordseite oder möglichst hoch angebracht werden.

Bei Zuchtstuten spielt Licht eine besonders wichtige Rolle. Wenn im Frühjahr die Tage länger werden, werden die Stuten zyklisch (also fruchtbar). Im Stall wird eine Stute bei weniger als 16 Stunden Licht und einer Lichtintensität von unter 1250 Lux auch weniger gut zyklisch.

In einem hellen Stall lässt es sich besser arbeiten. Der Stall bleibt sauberer und alles ist besser zu sehen.

Temperatur

Grundsätzlich ist das Halten von Pferden bei mitteleuropäischen Durchschnittstemperaturen problemlos möglich. Der Komfortbereich eines Pferdes liegt zwischen -5 und +25 Grad. Beim Menschen liegt er höher, nämlich zwischen 20 und 25 Grad. Menschen frieren also schneller. Bei Temperaturen innerhalb des Komfortbereichs können Pferde sich gut warm halten, wenn sie über ausreichend Wasser, Raufutter und einen Rückzugsplatz verfügen. Einige (hochgezüchtete) Rassen können sich bei Frost nicht mehr ausreichend warm halten. Sie brauchen dann eine Decke.

Licht

Ausreichendes Licht macht Pferde aktiv und aufmerksam. Und auch für Sie selbst ist die Arbeit im Stall, etwa die Kontrolle der Tiere, angenehmer und sicherer, wenn Sie alles gut sehen können. Die Untergrenze für Pferde liegt bei 250 Lux. Ermitteln Sie die Lichtintensität mit einem Luxmessgerät. In Richtlinien zu den Arbeitsbedingungen werden für eine ordnungsgemäße Ausführung der meisten Tätigkeiten 200 bis 800 Lux empfohlen. Diese Intensität ist also auch mit dem Bedarf des Pferdes vereinbar.

RICHTLINIEN ZUM STALLKLIMA	
Temperatur:	2-15 °C
Licht:	> 250 Lux
Staubteilchen:	< 4 mg/m³
C02-Konzentration:	< 2500 ppm
NH3-Konzentration:	< 5 ppm

Lüftung des Stalls

Beim Lüften wird die verschmutzte Luft durch saubere ersetzt. Verschmutzte Luft entsteht vor allem am Stallboden durch die aus dem Kot und dem Urin austretenden Gase. Hier ist eine Lüftung am dringendsten erforderlich.

Um einen Luftstrom zu erzeugen, sind ein Einlass und ein Auslass nötig. Die Luft wird durch den Wind (natürlich) oder durch einen Ventilator (mechanisch) bewegt. Warme Luft steigt nach oben und kalte Luft sinkt nach unten. Stallwände, Mauern und Türen sind Hindernisse, die die Lüftung behindern.

Husten, vor allem zu Beginn des Trainings, und eine schlechtere Kondition, sind klare Signale für eine Atemwegserkrankung. Messen Sie die Temperatur und überprüfen Sie Stallklima (Staub, Gase) und Futter (Staub, Schimmel). Konsultieren Sie den Tierarzt, wenn die Körpertemperatur über 39,0 °C steigt.
Husten infolge einer Erkältung sollte nicht länger als 5 Tage anhalten

LÜFTUNG

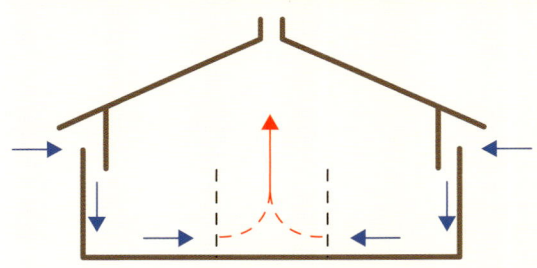

Vertikale Strömung entlang der Mauer mit Firstlüftung oder einem Schornstein mit Ventilatoren.

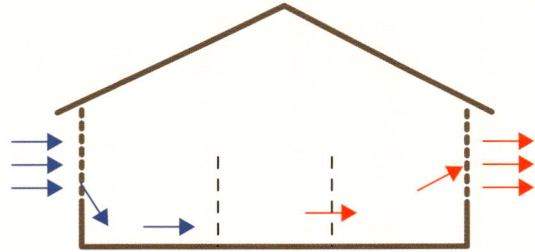

Offene Seiten mit Windschutzgittern. Auch in diesem Fall ist möglicherweise eine Firstlüftung erforderlich.

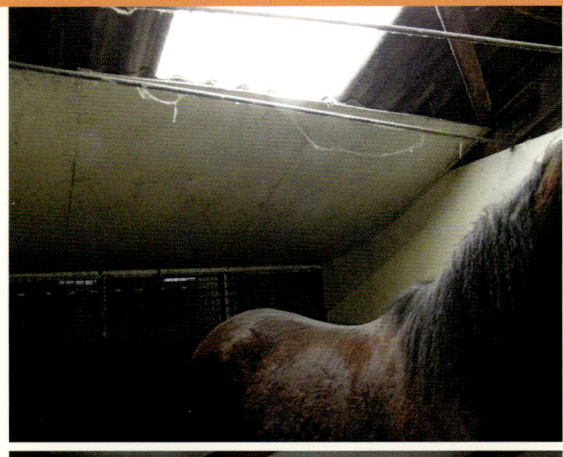

Klappenlüftung
In diesem Stall wird frische Luft hinter den weißen Platten an der Decke entlang geleitet. Der Nachteil besteht darin, dass die kalte Luft auf das Pferd fällt und der hintere Bereich des Stalls nicht gelüftet wird. Besser ist es, die Luft vertikal an der hinteren Wand entlang zu leiten, sodass direkt auf dem Strohbett gelüftet wird.

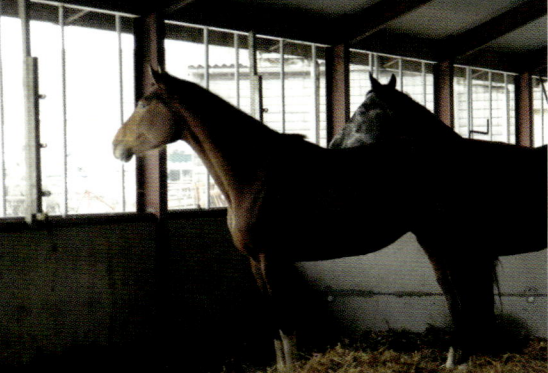

Halb offener Stall
Die intensivste und damit beste Lüftung lässt sich mit einem halb offenen Stall erreichen. Bei starkem Wind können Windschutzgitter die Luftgeschwindigkeit verringern. In diesem Fall werden die Pferde in Gruppen gehalten. Dadurch ist die Lüftung über dem Stroh noch besser, da keine Zwischenwände die Lüftung behindern. Die Luftgeschwindigkeit und der Temperaturunterschied zwischen Innen- und Außenluft sind gering. So entsteht keine Zugluft. Als Zugluft gilt ein Luftstrom, der 4 Grad kälter ist als die Umgebungsluft.

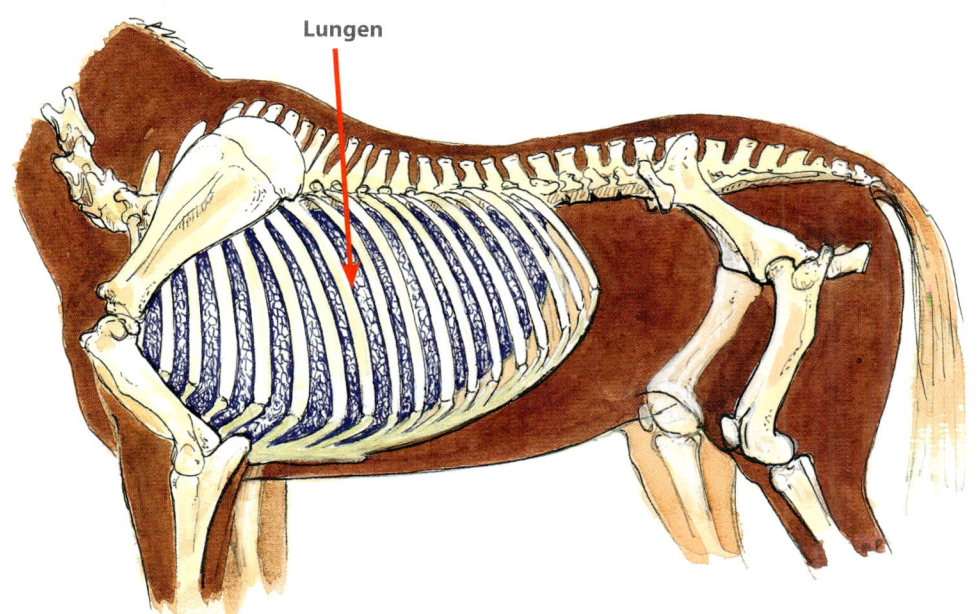

Lungen

Pferde haben relativ große Lungen und atmen tief ein. Auch deshalb sind sie anfällig für Atemwegserkrankungen. Beim Sport erhöht sich die Intensität der Atmung noch. Eine Reitbahn ohne Staub ist daher enorm wichtig.

Immer frische Luft

Vermeiden Sie Luftverschmutzungen und sorgen Sie für eine ausreichende Lüftung, damit immer genügend frische Luft im Stall ist.

Ganz verhindern lässt sich eine Belastung mit Staub, schädlichen Gasen und Mikroorganismen nicht. Wenn ein Pferd solchen Belastungen ausgesetzt ist, entstehen kleine Schäden an den Atemwegen. Diese heilen in der Regel von selbst, doch wenn das Pferd sich längere Zeit in verschmutzter Luft aufhält, können auch dauerhafte Lungenschäden zurückbleiben.

Wettkampfpferde absondern

Krankheitskeime verbreiten sich vor allem dort schnell, wo viele Pferde zusammen kommen, also bei Wettkämpfen, Körungen und sonstigen Veranstaltungen. Sondern Sie die Wettkampfpferde ab, damit sich neue Krankheitskeime nicht auf andere Tiere ausbreiten.

SCHÄDLICHE GASE

Ammoniak (NH3) ist das gefährlichste Gas, das in Ställen vorkommt. Es ist gut zu riechen und greift die Atemwege an. Weitere schädliche Gase sind zum Beispiel Methan (CH4) und Kohlendioxid (CO2). Diese beiden sind geruchlos, die Konzentration kann aber gemessen werden. Alle diese Gase entstehen in nassen Bereichen des Stalls durch Bakterien, die Kot und Urin zersetzen. Die Einstreu sollte daher sauber und trocken sein und in der Box und im Stall muss für eine gute Lüftung gesorgt werden.

Draußen ist es frisch, aber da die Lüftung in diesen Boxen zu wünschen übrig lässt, kann die Luft drinnen stickig und staubig werden. Was ist zu tun?

KAPITEL 4

Füttern und Fressen

In der Natur sind Pferde etwa 16 Stunden täglich mit Fressen, Kauen und Laufen beschäftigt. Ganze 14 Stunden davon entfallen auf die Futteraufnahme. Die natürliche Nahrung besteht größtenteils aus Gräsern sowie Kräutern, Rinde, Blättern und Zweigen.

Ein Pferd frisst, um sich mit den richtigen Nährstoffen zu versorgen, um beschäftigt zu sein und um soziale Kontakte mit anderen Pferden zu knüpfen. Zum richtigen Füttern gehört daher mehr als nur die Auswahl und Verabreichung des Rau- und erforderlichenfalls des Kraftfutters und der Zusatzstoffe.

Verdauung

Der Verdauungskanal eines Pferdes ist auf Futter abgestimmt, das langsam verdaut wird. Im relativ kurzen Dünndarm werden Eiweiße und schnell verdauliche Nährstoffe absorbiert. Außerdem wird das Futter dort für die weitere Verdauung im Blind- und Dickdarm vorbereitet.

Dort erfolgt die weitere Zersetzung des Futters durch Bakterien und andere Mikroorganismen. Diesen Prozess nennt man Fermentation. Die genannten Darmabschnitte nehmen die Rest- und Endprodukte der Fermentation auf, die für das Pferd die wichtigste Energiequelle darstellen. Eine Übersicht über die Anatomie des Verdauungs- und Magen-Darm-Trakts finden Sie auf den Seiten 44 und 45.

WAS IST ZU PRÜFEN?

Futter: Füttern Sie die richtige Menge und die richtige Qualität?

Pferd: Frisst das Pferd alles? Kaut es richtig? Hat es viel Energie oder zu wenig? Ist es gesund? Ist der Kot richtig geformt oder zeigt er Auffälligkeiten? Wie ist es um die Körperkondition bestellt?

Mit ihren empfindlichen und beweglichen Lippen können Pferde kleine Dinge aufnehmen und fressen. Zwar sind einige Pferde beim Futter recht wählerisch, häufig wird aber verschimmeltes oder verdorbenes Futter einfach gefressen.

Genauigkeit ist beim Füttern wichtig, deshalb muss das Futter regelmäßig gewogen werden. Dazu sollte beispielsweise eine Personenwaage beim Raufutter bereitstehen.

Wiegen Sie auch das Kraftfutter ab, damit Sie einen Überblick über die verabreichte Menge haben. Einige Kraftfutter sind schwerer, andere leichter, vor allem Müslimischungen.

FUTTERMITTEL, RAUFUTTER, KRAFTFUTTER UND TROCKENMASSE

Die einzelnen Produkte einer Ration nennt man Futtermittel: Gras, Heu, Pellets, Mash usw. Futtermittel, die Fasern mit einer Länge von mindestens 2,5 cm enthalten (über 18 % Rohfaser) nennt man Raufutter. Die Fasern im Raufutter zwingen das Tier zum Kauen und regen damit die Speichelproduktion an. Außerdem stimulieren sie die Muskelbewegungen der Darmwand (Motilität) und sind für eine gesunde Funktion von Blind- und Dickdarm erforderlich.

Fast alle Futtermittel bestehen aus Wasser und Trockenmasse. Die Trockenmasse enthält sämtliche Nährstoffe und Fasern. Der Trockenmassegehalt von Heu liegt bei 80-85 %, der von Pferdesilage bei 55-75 % und bei Gras sind es 16 %. Für dieselbe Menge an Trockensubstanz ist also ein großer Haufen Gras, ein etwas kleinerer Haufen Silage und ein noch kleinerer Haufen Heu erforderlich.

Die Ration

Die Ration wird anhand des gewünschten Gewichts des Pferdes und der verrichteten Arbeit berechnet. Nimmt das Pferd zu oder ab, muss die Ration angepasst werden.

Pro Tag benötigt ein Pferd *mindestens* 1 kg Trockenmasse (Raufutter) je 100 kg Körpergewicht. Das entspricht 1,2 kg Heu oder 1,2 bis 1,5 kg Silage. Es kann auch mehr gefüttert werden.

Kraftfutter ist nicht unbedingt notwendig, denn bei einer ausreichenden Versorgung mit Raufutter können Pferde häufig genug Energie aufnehmen. Pro Fütterung sollten Pferde höchstens 2 kg und Ponys höchstens 1 kg Kraftfutter erhalten. Die tägliche Kraftfuttermenge darf nicht größer sein als die Raufuttermenge.

Raufutter zuerst

Starten Sie den Tag mit Raufutter. Verteilen Sie dieses über den Tag auf mindestens 3 bis 4 Portionen. Zwischen zwei Portionen sollten maximal 8 Stunden liegen. Kraftfutter sollte erst eine halbe Stunde, nachdem das Raufutter gefressen wurde, gefüttert werden. Um 1 kg Heu zu fressen, benötigt ein Pferd etwa 30 bis 40 Minuten. Werden gleichzeitig Heu und Kraftfutter verabreicht, beschleunigt das Heu den Transport des Kraftfutters durch den Dünndarm und die Verdauungsleistung lässt nach. Das Pferd braucht dann mehr Futter, der Kot wird dünner und es können Fermentationsprobleme auftreten.

Verdauung und Magen-Darm-Kanal

Die Verdauung eines Pferdes funktioniert auf ganz eigene Art und Weise und unterscheidet sich wesentlich von derjenigen von Menschen, Schweinen, Kühen und Hunden. Von außen können lediglich der Fressvorgang, die Bauchform und der Kot beurteilt werden. Während des Fressens ist erkennbar, was das Pferd zu sich nimmt und wie gut es kaut. Die Bauchform gibt Aufschluss über die darin befindliche Futtermenge. Der Kot schließlich enthält Informationen über die Verdauung.

ZÄHNE

Mit dem Zähnen wird das Futter gekaut. Gutes Kauen ist wichtig, denn dadurch wird das Futter zerkleinert und zermalmt und nur so können die Verdauungssäfte ihre Wirkung entfalten. Außerdem wird das Futter beim Kauen mit Speichel vermengt. Zahnprobleme sind häufig am Fressverhalten erkennbar.
Frisst das Pferd langsamer, lässt es das Futter liegen oder finden sich Rollen aus Raufutter im Stall, sollten die Zähne untersucht werden. Auch wenn ein Pferd aus ungeklärten Gründen abmagert oder der Kot auf eine schlechte Verdauung schließen lässt, empfiehlt sich eine Zahnkontrolle.

SPEICHEL

Speichel wird beim Kauen produziert. Kaut ein Pferd schlecht, entsteht auch wenig Speichel. Im Speichel von Pferden befinden sich keine Enzyme. Er dient lediglich dazu, den Nahrungsbrei zu verflüssigen, damit er gut geschluckt werden kann und es nicht zu Verstopfungen in der Speiseröhre kommt. Er enthält allerdings einen Puffer, der verhindert, dass der Säuregrad im oberen Teil des Magens zu hoch wird. Gut gekautes und mit Speichel vermengtes Futter vermischt sich im Magen rasch und vollständig mit Magensäure. Die Verdauung und die Fermentation verlaufen dann optimal und die Gefahr eines Magengeschwürs ist gering.

SPEISERÖHRE

Die Speiseröhre verläuft vom Rachen bis zum Magen. Das Futter wird in dieser langen Röhre durch „Massagebewegungen" weiter transportiert. Frisst das Pferd zu schnell oder schluckt es zu große Stücke, kann es zu Verstopfungen kommen. Das Pferd wird dann unruhig und ängstlich und weist Anzeichen einer Kolik auf. Manchmal löst sich so eine Verstopfung von selbst, in der Regel muss aber ein Tierarzt eingreifen.

MAGEN

Der Magen ist relativ klein. Im oberen Teil wachsen Bakterien, die die Nahrung teilweise zersetzen und flüchtige Fettsäuren produzieren (Fermentation). Im unteren Teil des Magens werden ständig Magensäure und das Enzym Trypsin produziert, welches die Eiweiße in kleine Bestandteile zerlegt. Magengeschwüre entwickeln sich in der Regel im oberen Teil des Magens. Sie entstehen durch zu viel Kraftfutter, zu wenig Kautätigkeit, zu wenig Rohfasern im Futter oder zu viel Stress. Pferde mit Magengeschwüren können abmagern, häufig gähnen oder zu Koliken neigen. Manchmal sind die Symptome nicht klar erkennbar, aber das Pferd ist nicht wirklich fit.

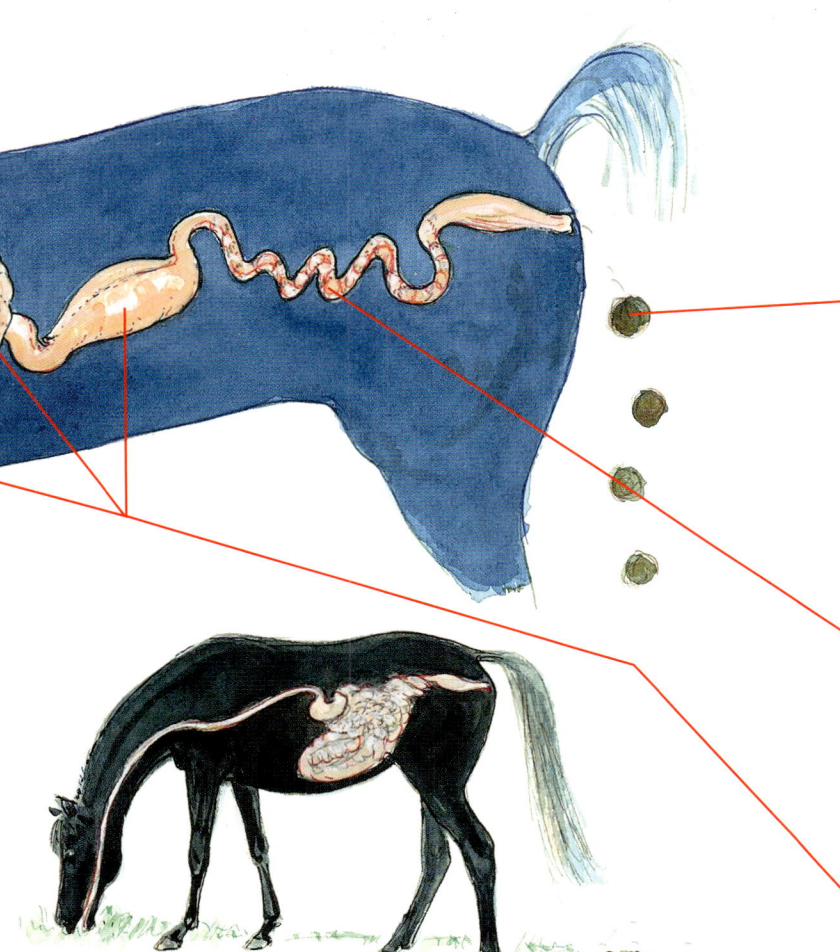

Den ganzen Tag fressen

Der Magen-Darm-Trakt eines Pferdes ist darauf ausgerichtet, dass das Tier den ganzen Tag lang kleinere Futtermengen aufnimmt.

KOT

Pferdeäpfel sollten gleichmäßig, glatt und rund sein. Ihre Farbe gibt Aufschluss darüber, was ein Pferd in den letzten ein oder zwei Tagen gefressen hat. Viel Stroh oder altes Heu verfärbt den Kot gelb, bei Gras und guter Silage wird er grünlich. Trockene Pferdeäpfel, die leicht auseinander fallen, deuten auf eine verzögerte Futterzersetzung und die Gefahr einer Verstopfung hin. Weicher Kot lässt auf eine zu schnelle Fermentation schließen. Enthält der Kot lange Stängel oder Getreidekörner, hat das Pferd nicht genug gekaut. Bei mangelhafter Fermentation riecht der Kot manchmal zu sauer.

MASTDARM

Im Mastdarm wird den Nahrungsresten Wasser entzogen und die Pferdeäpfel werden geformt. Bei Verdauungsstörungen oder zu viel Wasser in den Futterresten ist dies nicht möglich. Der Kot ist dann dünner oder enthält Wasser.

DÜNNDARM

Vom Magen aus gelangen kleine Futterportionen in den Dünndarm. Stärke, Zucker, Fette und Eiweiße werden von Enzymen aus der Bauchspeicheldrüse und aus dem Dünndarm in kleine Bestandteile gespalten und so in das Blut aufgenommen. Im Dünndarm wird noch nicht alles verdaut. Vor allem die Stärkeverdauung ist sehr störanfällig. Der Verdauungsgrad hängt von der Zusammensetzung des Futters, der Kautätigkeit und der Verdauung im Magen und der Durchgangsgeschwindigkeit ab. Alles, was im Dünndarm nicht verdaut wird, gelangt in den Blinddarm und den Dickdarm.
Zu den im Dünndarm entstehenden Krankheiten gehören vor allem Koliken durch übermäßige Kontraktionen (Spasmen) oder auch zu wenig Darmbewegungen (Verstopfung). Eine träge Darmpassage kann auch zu Gasanhäufungen und in der Folge zu Lageveränderungen und Verdrehungen von Darmteilen führen.

BLINDDARM UND DICKDARM

Der Dünndarm mündet in den Blinddarm, einen großen Sack, von dem aus das Futter in den Dickdarm gelangt. Im Blinddarm und im Dickdarm leben Bakterien und andere Mikroorganismen, die schwerer zersetzbare Bestandteile des Futters, vor allem die Rohfasern, abbauen. Die dabei entstehenden Restprodukte (flüchtige Fettsäuren) liefern die Energiequelle für das Pferd.
Wenn viele schnell abbaubare Stoffe in den Blind- oder den Dickdarm gelangen, wird die Fermentation gestört. Bestimmte Bakterien vermehren sich dann auf Kosten anderer zu schnell, es entstehen zu viele Gase, Giftstoffe werden freigesetzt und der Darm kann sich stark zusammenziehen. Fermentationsstörungen können zu Durchfall, Koliken und Hufrehe führen.

Geruch, Staub, Verderb

Viele Pferde fressen problemlos Futter, das nicht gesund für sie ist. Vor dem Füttern sollte daher immer geprüft werden, ob das Futter unangenehm riecht und ob sich darin Staub, Schimmel oder andere Anzeichen für Verderb oder sonstige Veränderungen befinden.

Schimmel ist an einem grau-schwarzen Belag auf Blättern oder Stängeln zu erkennen. Er riecht staubig, muffig oder säuerlich. Heu sollte immer in losem Zustand geprüft werden. Manchmal befindet sich Schimmel an der Außenseite, manchmal auch im Inneren des Ballens.

Silageverpackungen können vollständig verdorben sein oder auch nur einzelne verdorbene Stellen enthalten. Schlecht gewordenes Futter muss entsorgt werden. Eine angebrochene Verpackung hält sich etwa eine Woche, bei kaltem Wetter auch länger. Wird die Silage warm, verliert sie ihre Nährstoffe und ihren Geschmack. Häufig tritt dann auch Schimmel auf.

Wenn Sie tote Tiere im Futter finden, muss die gesamte Menge entsorgt werden. Überprüfen Sie Heu und Silage auf giftige Pflanzen wie Jakobskreuzkraut oder Ackerschachtelhalm hin. Wenn Sie Zweifel haben: nicht verwenden.

Heu oder Silage

Für die meisten Pferde ist Raufutter mit vielen Stängeln (überständiges Gras) eine gute Wahl, da sie so am längsten mit dem Fressen beschäftigt sind. Lediglich Pferde, die viel Energie brauchen, und Tiere mit Zahnproblemen sollten Raufutter mit weichen Stängeln und vielen Blättern (junges Gras) erhalten.

Bei gesunden Pferden spielt es keine Rolle, ob sie Heu oder Silage fressen. Allerdings verursacht Silage bei Pferden mit einer instabilen Darmflora leichter Verdauungsprobleme als Heu, denn sie ist feuchter und wird daher schneller verdaut. Außerdem sind die Unterschiede bei verschiedenen Partien Silage größer als bei Heu.

Bei Pferden mit Atemwegsproblemen lässt sich mit feuchtem Futter verhindern, dass sie Staub einatmen. In diesem Fall eignet sich Silage oder angefeuchtetes Heu.

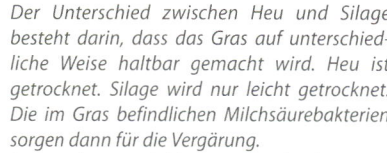

Raufutter wird durch Fühlen, Anschauen und Riechen beurteilt.

Der Unterschied zwischen Heu und Silage besteht darin, dass das Gras auf unterschiedliche Weise haltbar gemacht wird. Heu ist getrocknet. Silage wird nur leicht getrocknet. Die im Gras befindlichen Milchsäurebakterien sorgen dann für die Vergärung.

Damit die Säurebildung gut verlaufen kann, sich kein Schimmel bildet und die Silage nicht warm wird, muss diese luftdicht abgeschlossen sein. Nasse Silage ist in der Regel sauer und daher weniger geeignet für Pferde. Trockene Silage dagegen ist anfällig für Schimmel und wird leicht warm, vor allem wenn sie viele Stängel und damit viel Luft enthält.

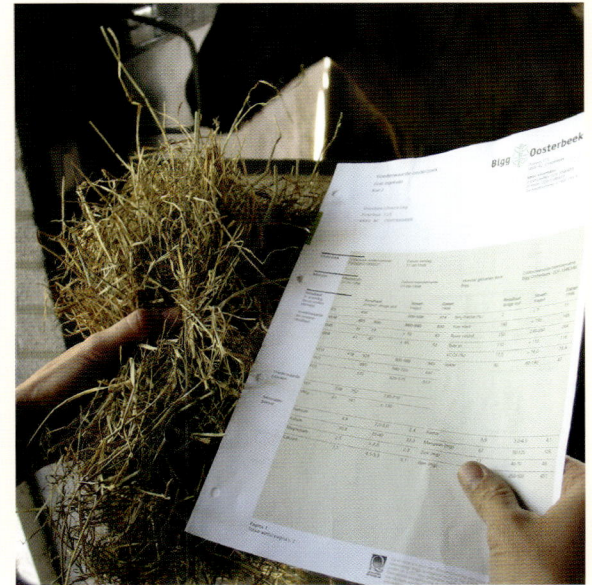

Mithilfe einer Futteranalyse lässt sich der Nährstoffgehalt einer Partie Heu oder Silage genau ermitteln. Auch die Gehalte an Mineralstoffen und Spurenelementen können bestimmt werden. Mit diesen Informationen und einigen Angaben zum Einsatz des Pferdes kann ein Sachverständiger eine vernünftige Ration zusammenstellen und auch eine Empfehlung zum Kraftfutter und zu Ergänzungsfuttermitteln aussprechen.

Das richtige Raufutter

Die Qualität des Futters lässt sich mithilfe zweier Kriterien beurteilen. Zum Einen anhand des Geruchs und Geschmacks und des Vorhandenseins von Staub, Schimmel und Verderb. Zum Anderen anhand des Nährstoffwerts (Gehalts). Spezielles Pferdeheu gibt es nicht, wohl aber Unterschiede beim Nährstoffgehalt.

Welches Heu oder welche Silage gut für Ihr Pferd ist, hängt von seinem Bedarf ab.

Heu und Silage aus jungem Gras enthalten viele Blätter und keine Blütenstände wie Ähren oder Rispen. Sie fühlen sich weich an, sind relativ reich an Energie, Eiweiß und Zucker und leicht verdaulich. Das Pferd muss weniger gut kauen.

Heu und Silage aus überständigem Gras enthalten viele Stängel, wenige Blätter und in der Regel auch Ähren oder Rispen. Sie sind hart und fühlen sich stachelig an. Die Verdauung verläuft langsam und erfolgt vor allem durch Fermentierung im Blind- und Dickdarm. Das Pferd muss diese Futtermittel gut kauen.

Der Nährwert von Heu oder Silage hängt auch stark von der Düngung des Feldes und von der Trocknungsdauer ab. Eine intensive Düngung führt zu hohen Nährwerten. Eine längere Trocknungsdauer geht mit einem geringeren Nährwert einher, vor allem dann, wenn es in dieser Zeit geregnet hat.

Futterwechsel: Schritt für Schritt

Der Nährwert kann bei Heu oder Silage stark schwanken. Ein Wechsel ist daher nicht ohne Weiteres möglich. Es empfiehlt sich, dauerhaft beides gleichzeitig zu füttern, oder aber ein langsamer Futterwechsel, indem die beiden Futtermittel fünf Tage lang gemischt werden. Bei Futterwechseln können Pferde Koliken oder Durchfall bekommen.

Kraftfutter:
nicht immer erforderlich

Pferde, die nicht viel Arbeit verrichten müssen, nicht im Wachstum oder trächtig sind und nicht säugen, benötigen kaum Kraftfutter. Häufig enthält das Raufutter bereits genügend Nährstoffe.

Einige Gründe für die Verabreichung von Kraftfutter sind:

- Zufüttern von Mineralstoffen und Vitaminen. Verwenden Sie in diesem Fall eiweiß- und energiearme Pellets oder ein geeignetes Ergänzungsfuttermittel.
- Zufüttern von Eiweiß. Dies kann bei Pferden im Wachstum und bei trächtigen Stuten erforderlich sein.
- Zufüttern von mehr Energie oder von speziellen, Energie liefernden Nährstoffen. Pferde mit einem sehr hohen Energiebedarf wie Rennpferde oder Stuten mit Fohlen erhalten nur durch das Raufutter nicht genügend Energie.

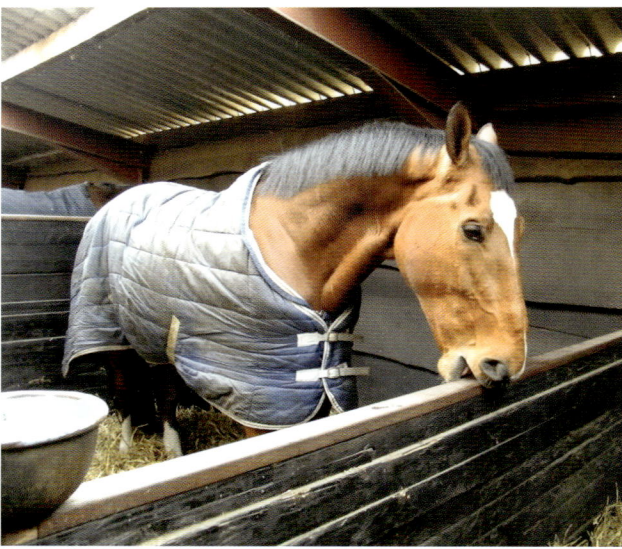

„Krippensetzer" oder „Kopper" setzen ihre Zähne auf den Rand und schlucken dann Luft. Manchmal wird auch Luft geschluckt, ohne die Zähne auf etwas aufzusetzen. Achten Sie auf den dicken Halsmuskel, der zum Kehlkopf verläuft.

Die Ursache des Krippensetzens liegt wahrscheinlich darin, dass das Pferd kauen möchte, aber kein Raufutter dafür zur Verfügung hat.

In Stresszeiten, etwa bei der Entwöhnung, ist die Gefahr für solches Verhalten größer.

FUTTERNEID

Futterneid entsteht in Gruppen, in denen nicht genügend Platz zum Fressen oder zu wenig Futter vorhanden ist. Die Pferde haben dann Angst, dass die Artgenossen ihr Futter fressen. Sie fressen dann hastiger und kauen weniger.

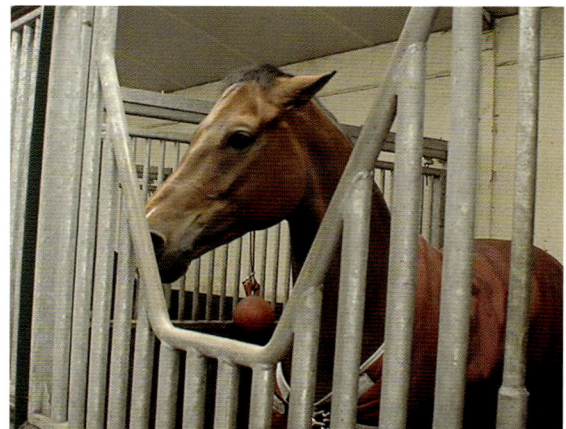

Dominante Pferde wollen als erste fressen, wenn sie hungrig sind. Dies muss für sie auch möglich sein. Es handelt sich hierbei um ein wichtiges und normales Sozialverhalten. Wenn sich daraus heftige Konflikte ergeben, wird dies Futterneid genannt.

In einer Gruppe müssen alle Pferde gleichzeitig fressen können. Am besten werden mehrere Portionen verteilt, sodass die Pferde herumlaufen können.

EIN DICKER BAUCH: WOHER KOMMT DAS?

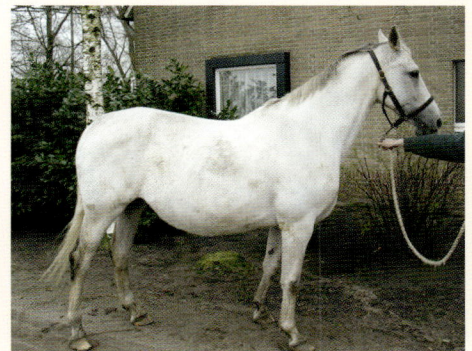

Dieses Pferd hat einen dicken Bauch. Hals, Hinterbacke und Schulter sind aber nicht dick. Die Muskulatur ist nur schwach ausgeprägt und das Tier ist eher zu mager als zu dick. Diese Stute ist hochträchtig. In ihrem Bauch befindet sich ein großes Fohlen. Da die Bauchmuskeln zu wenig ausgebildet sind, hat sie einen Hängebauch.

Dieses Pony hat einen dicken Bauch, einen kräftigen Hals, kräftige Schultern und runde Hinterbacken. Wenn man es anfasst, ist überall unter der Haut eine weiche Masse zu fühlen: Fett. Der Bauch ist dick, weil die Därme voller Gras sind und sich viel Fett angesetzt hat.

Bauch, Muskulatur, Kot

Echte Pferdekenner achten intensiv auf körperliche Zeichen und Signale. So erfahren sie viel darüber, ob die Ernährung für die Muskulatur, die Arbeitsbelastung, die Rasse des Pferdes oder Ponys, die Größe, das Alter, die Gesundheit und weitere Faktoren angemessen ist. Wer beurteilen will, ob die Ernährung eines Pferdes stimmt, muss also an vieles denken.

Das sollte Sie aber nicht abschrecken. Die meisten Pferde können problemlos mit Heu oder Silage und zusätzlich einfachem Kraftfutter und Ergänzungsfuttermittel gefüttert werden. Wenn Sie zweifeln, ziehen Sie einen Ernährungsberater zu Rate. Bei Pferden mit gesundheitlichen Problemen kann ein Tierarzt mit unterstützenden Maßnahmen und Diätfutter helfen.

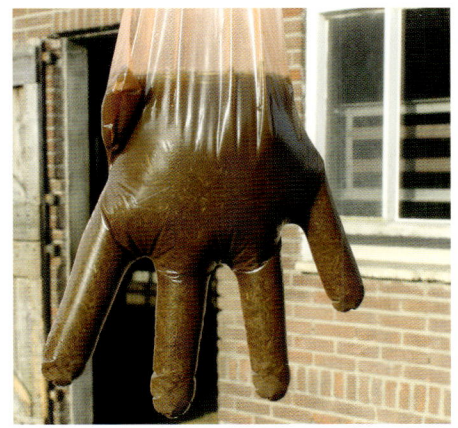

Wenn Sie prüfen möchten, ob sich Sand in den Därmen eines Pferdes befindet, verdünnen Sie etwas Dung, an dem kein Sand vom Boden klebt, in einem Eimer oder einem Tierarzthandschuh mit Wasser. Prüfen Sie nach zehn Minuten, ob sich Sand auf dem Boden abgesetzt hat.
In den Fingern dieses Handschuhs ist der Sand zu sehen.

Hier handelt es sich nicht um runde Pferdeäpfel sondern um wässrige Fladen. Außerdem sind viele Reste von langen Heu- oder Silagestängeln zu erkennen. Das Pferd hat wahrscheinlich nicht gut gekaut, weil es zu schnell gefressen oder ein Problem mit den Zähnen hat. Daher verläuft die Zersetzung im Dickdarm nur mangelhaft, was zu einer Fermentationsstörung führt. Womöglich bekommt das Pferd Bauchschmerzen (Kolik). Mithilfe einer speziellen Diät kann die Darmflora des Tieres regeneriert werden.

Getreidekörner im Kot sind häufig die Folge von Zahnproblemen oder Schwierigkeiten beim Kauen. Lassen Sie die Zähne des Pferdes untersuchen und unterstützen Sie ein gründlicheres Kauen, indem Sie für eine ruhige Umgebung und einen „Slow-Feeder" sorgen. Beispiele für Slow-Feeder sind Bälle mit Löchern, aus denen jeweils nur ein einziger Brocken fällt, oder ein Heunetz bzw. -gitter, aus dem das Heu in kleinen Mengen gezogen wird. Siehe hierzu auch Seite 51.

Das Auge des Meisters

Zum Füttern braucht man die Augen. Beobachten Sie immer, wie ein Pferd frisst, was es frisst und wie es auf das Futter reagiert. Mit Reaktion sind beispielsweise die Energieleistung und die Ausdauer, das Wachstum, die Gewichtszunahmen, ein glänzendes Fell und anliegende Haare, gut geformte Pferdeäpfel usw. gemeint.

Je besser man beobachtet, desto mehr sieht man, vor allem dann, wenn man ständig versucht, aus den Beobachtungen zu lernen. Läuft alles gut? Woran liegt das? Oder muss etwas verbessert werden?

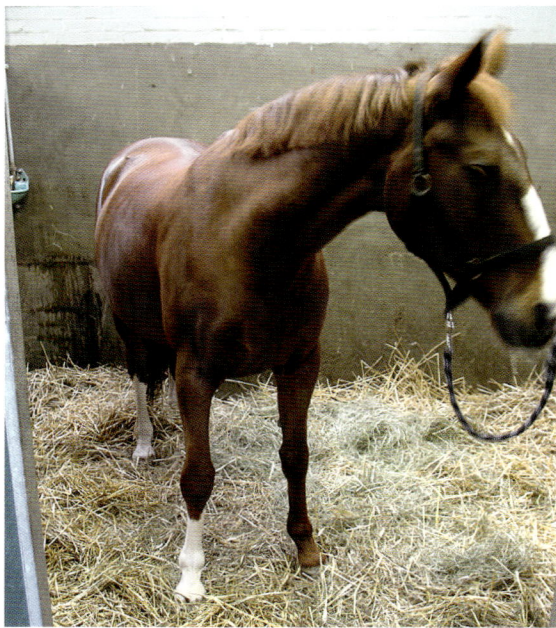

Frisst das Pferd sein Futter nicht auf, schmeckt es ihm möglicherweise nicht oder aber es hat zu viel bekommen, ist krank oder hat Probleme beim Kauen.

Manche Pferde werden „heiß" oder „nervig", wenn sie zu viel Zucker und Stärke erhalten. Abhilfe bietet dann eine Ration mit weniger Energiegehalt oder Fett als Energiequelle anstelle von Zucker und Stärke.

SUCHBILD

? Wie bleiben Shetlandponys und Fjordpferde gesund?

Zwei Shetlandponys und zwei Fjordpferde stehen auf einer extrem sumpfigen Weide. Der Kot der Tiere wird dünn. Ein Fjordpferd magert ab. Da Pferde auch in sumpfigem Gelände ständig grasen, nehmen sie viel Sand auf. Dieser Sand ist die Ursache für Verdauungsstörungen und dünnen Kot.

Was ist zu tun? Ein Teil dieser Weide muss befestigt werden, damit die Pferde wenigstens einen Teil des Tages darauf laufen können. In diesem Bereich könnte ein Slow-Feeder angebracht werden, damit die Tiere Futter ohne Sand zu sich nehmen können. Da sich die beiden Ponyrassen in der Größe sehr unterscheiden, muss die Heumenge begrenzt sein. Deshalb ist ein Zufüttern erforderlich.

Wie viel Salz (Natriumchlorid) ein Pferd braucht, ist schwer festzustellen. Die benötigte Menge hängt vor allem davon ab, wie stark das Pferd schwitzt. Deshalb sollte jedes Pferd Zugang zu einem Salzleckstein haben. Zu viel Salz ist kein Problem, sofern das Pferd nach Belieben trinken kann.

Wasser

In Ruhe benötigt ein Pferd täglich 3 bis 4 Liter Wasser je 100 kg Körpergewicht. Im Futter befindet sich ein Teil dieser Flüssigkeit. Getrunken wird vor allem nach dem Fressen. Wie oft ein Pferd trinkt, hängt also von der Anzahl der Fütterungen ab.

Wenn einem Pferd heiß ist, es viel schwitzt oder säugt, oder bei trockenem Futter trinkt es mehr. Sorgen Sie daher immer für ausreichend Wasser.

EIN PFERD BRAUCHT BESCHÄFTIGUNG

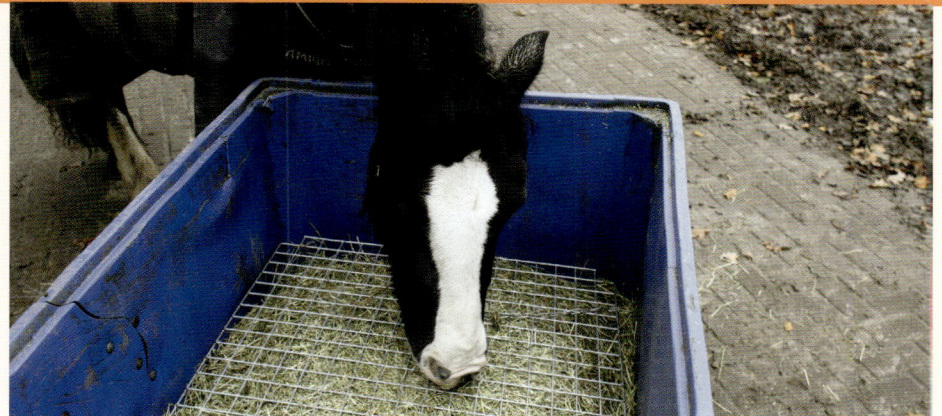

Wenn Pferde kein Futter haben, langweilen sie sich schnell. Wenn sie aber ständig Raufutter zu sich nehmen, werden sie zu dick. Mit einem Slow-Feeder lässt sich die Beschäftigungszeit beim Fressen verlängern. Dafür eignet sich zum Beispiel ein Trog, in dem das Heu mit einem Gitter bedeckt ist oder ein Heunetz.

Wenn Stroh im Stall ist, hat das Pferd etwas zum Knabbern, ohne dass es dick wird. Frisst ein Pferd aber zu viel Stroh, kann sich eine Kolik entwickeln, denn Stroh wird langsam verdaut und kann zu Verstopfungen führen.

Kleine Zwischenmahlzeiten wie eine Karotte, ein Apfel, Brot oder ein Zuckerwürfel sind durchaus erlaubt, aber höchstens fünf Mal pro Tag. Machen Sie kleine Stücke zu Übungszwecken.

Wie dick ist mein Pferd: der Body Condition Score

Bei der Ermittlung des Body Condition Score (Ernährungszustand) eines Pferdes wird beurteilt, wie viel Fett der Körper des Tieres enthält. Dies erfordert einige Erfahrung und Fachwissen. Achten Sie gezielt auf die Stellen, an denen sich Fettreserven bilden können. Welche Stellen das sind, zeigt die Tabelle. Fühlen Sie auch immer mit den Händen, um festzustellen, ob es sich um Fett oder um Muskeln handelt. Fett ist weicher als Muskelmasse.

GESAMTEINDRUCK	HALS	RUMPF	KRUPPE	SCHLUSS-FOLGERUNG
Knochen zu stark sichtbar, Kruppe eingefallen, Hüfthöcker steht hervor	auffällig dünner Hals	Rippen und Wirbel sehr gut sichtbar, stark eingezogener Bauch	hohle Kruppe	**-2** ZU MAGER: HANDLUNGSBEDARF
Hüfthöcker nicht sichtbar, kantige Kruppe	etwas zu dünn	Rippen gut sichtbar	dachförmige Kruppe	**-1** ACHTUNG
gute Proportionen	klarer Übergang vom Hals zur Schulter	Rippen nicht sichtbar	Kruppe leicht ansteigend	**0** GUT
runde Formen	dicker Hals	Rippen nicht sichtbar, tiefer Rumpf	runde Kruppe	**+1** ACHTUNG
Kopf relativ klein, Kruppe erscheint zu hoch, „überbaut"	schwerer und breiter Hals, Mähnenkamm gewölbt, „rundlich"	tiefer, runder Rumpf	herzförmige Kruppe	**+2** ÜBERGEWICHT: HANDLUNGSBEDARF

WAS IST BEI WELCHEM ERGEBNIS ZU TUN

-2:	Lassen Sie Ihr Pferd von einem Tierarzt untersuchen.
-1:	Beobachten Sie das Pferd, der Body Condition Score darf nicht weiter sinken.
0:	Optimaler Fütterungszustand. Weiter so!
+1:	Sorgen Sie für mehr Bewegung oder ändern Sie die Ration.
+2:	Gefahr einer Hufrehe. Konsultieren Sie Ihren Tierarzt und starten Sie ein Diätprogramm.

Quelle: Sanéqui special diets for horse health (www.sanequi.com)

Bei der Beurteilung der Konstitution des Pferdes wird überprüft, ob das Tier ausreichend, zu viel oder zu wenig Energie aufnimmt. Dies sollte alle 4 bis 6 Wochen geschehen, 2 Mal jährlich unter Hinzuziehung eines objekt.ven Sachverständigen, beispielsweise eines Tierarztes.

Gesund abnehmen

Ein sinnvoller Diätplan besteht nicht nur in der Reduzierung der Futtermenge. So erhält das Pferd weniger Eiweiße und andere Nährstoffe. Die Folge sind Muskelschwund und eine Schwächung der Abwehrkräfte. Ein übergewichtiges Pferd sollte auch nicht auf einer kahlen Weide stehen, bis das gewünschte Gewicht erreicht ist, da es dann zu wenig Rohfasern erhält und das Gras mitsamt den Wurzeln und Sand aus dem Boden zieht. Die Folge können Sanddurchfall und Koliken sein.

ZU DICK, WAS NUN?

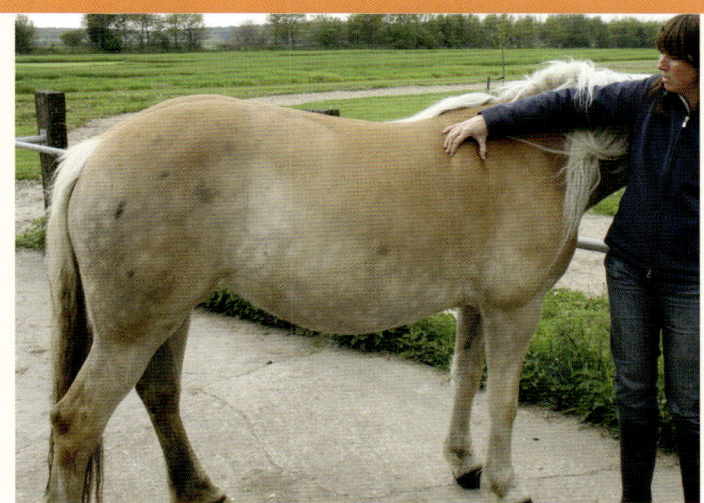

Ist Ihr Pferd zu dick, besteht die Gefahr einer Hufrehe. Reduzieren Sie in diesem Fall die Futtermenge, aber achten Sie darauf, dass das Pferd die Mindestmenge an Raufutter zu sich nimmt. Steigern Sie zugleich den Energieverbrauch, indem Sie mehr mit dem Pferd arbeiten. Bei starkem Übergewicht (Score +2) ist zum verantwortungsbewussten Abnehmen ein gezielter Diätplan mit ausreichend Rohfasern, wenig Energie und genügend Eiweißen, Vitaminen und Mineralstoffen erforderlich. Der Übergang zur energiearmen Ernährung sollte innerhalb eines Zeitraums von zwei Wochen erfolgen, damit keine Probleme beim Fettstoffwechsel des Pferdes auftreten.

ZU MAGER, WAS NUN?

Abmagerung ist häufig eine Folge von gesundheitlichen Problemen. Lassen Sie das Pferd von einem Tierarzt untersuchen. Dieser kann die (vermeintliche) Ursache ermitteln und das Tier behandeln. Das Pferd muss an Gewicht zunehmen. Sorgen Sie daher für eine Ration mit genügend hochwertigem und energiereichem Raufutter und Kraftfutter in mehreren Portionen. Aber Achtung: Wird zu viel Kraftfutter gefressen, können Koliken oder Durchfall entstehen und das Pferd wird zu temperamentvoll. Wählen Sie also lieber ein Kraftfutter mit hohem Fett- und geringem Stärke- und Zuckergehalt.

Risikogruppen

Bei bestimmten Gruppen von Pferden ist die Gefahr, dass Ernährungsprobleme auftreten, erhöht. Wer das weiß, kann die Ernährung und die Kontrollen darauf abstimmen und so Probleme vermeiden.

ENTWÖHNUNG VON FOHLEN

Die Trennung von Stute und Fohlen (Entwöhnung) birgt viele Risiken und hat auch Einfluss auf die Gesundheit. Stalluntugenden entwickeln sich häufig in der Zeit danach.

■ Gewöhnen Sie das Fohlen ab dem Alter von 4 Monaten langsam an feste Nahrung.

■ Stellen Sie das Fohlen jeden Tag etwas länger mit bereits bekannten Pferden oder Fohlen zusammen.

■ Sorgen Sie für gutes und ausreichendes Raufutter.

■ Füttern Sie begrenzt Kraftfutter (1 bis 2 kg) in kleinen Portionen.

■ Entwöhnen Sie frühestens nach 6 Monaten.

TRÄCHTIGE UND SÄUGENDE STUTEN

Hochträchtige und säugende Stuten benötigen viele Nährstoffe. In den letzten drei Monaten der Trächtigkeit wächst das Fohlen schnell und braucht viel Platz. Die Stute kann dadurch weniger Raufutter fressen. Säugende Stuten geben mit der Milch viele Nährstoffe an das heranwachsende Fohlen ab.

Einige Leitlinien:
- *Füttern Sie energie- und eiweißreiches Raufutter. So ist nur begrenzt Kraftfutter nötig.*
- *Füttern Sie Kraftfutter, das wenig Stärke und Zucker, sondern Fett als Energiequelle enthält.*
- *Stellen Sie Stute und Fohlen sobald dies möglich ist auf die Weide. Gras ist ein gutes Raufutter und viel Bewegung fördert die Gesundheit und die Entwicklung des Fohlens.*

JUNGE PFERDE

Junge Pferde werden meist in Gruppen gehalten. Im Sommer stehen sie auf der Weide, im Winter im Stall. Achten Sie darauf, dass alle gleichzeitig fressen können und erneuern Sie täglich das Raufutter, auch wenn nicht alles gefressen wurde. Auch bei jungen Pferden gibt es eine Rangordnung. Sorgen Sie also dafür, dass auch das rangniedrigste Tier noch genug fressen kann. Bis zum Alter von einem Jahr wachsen Fohlen sehr schnell. Sie brauchen daher hochwertiges Raufutter und in der Regel noch zusätzliche Eiweiße und Nährstoffe. Fohlenpellets sind eine gute Ergänzung.

Nach einem Jahr lässt das Wachstum nach. Dann ist Raufutter mit gröberen Stängeln geeignet. Bei Gruppenhaltung ist es nur schwer möglich, die Raufuttermenge zu begrenzen. Allerdings kann eine Mischung aus energiereichem und energiearmem Raufutter (beispielsweise Heu aus überständigem Gras oder Grassamenheu) oder nur energiearmes Raufutter verabreicht werden.

Junge Pferde von 2 bis 3 Jahren benötigen viel weniger Nährstoffe und brauchen neben dem energiearmen Raufutter kein Kraftfutter. Ergänzungsfuttermittel mit bestimmten Mineralstoffen und Vitaminen sind aber fast immer erforderlich.

ÄLTERE PFERDE (SENIOREN)

Ältere Pferde können abmagern, weil sie mit ihrem abgenutzten Zähnen nicht mehr gut kauen können. Gutes Kauen sorgt für eine gute Verdauung im Dünndarm. Das Futter für Senioren muss also leicht verdaulich sein. Aufgrund der Probleme beim Kauen können ältere Tiere weniger gut Raufutter aufnehmen. Zwar können sie häufig noch Gras fressen, aber kein Heu mehr.

Für solche Tiere und Pferde mit schlechten Zähnen sind spezielle Futtermittel erhältlich, die in Kombination mit weichem Heu oder Gras gefüttert werden. Einige Seniorenfutter enthalten Ersatzstoffe für Raufutter und bilden so eine komplette Ration.

Kann das Pferd so gut wie kein Raufutter mehr fressen, sollte es eingeschläfert werden, denn ohne Raufutter ist die Nahrungsaufnahme und die Kautätigkeit so gering, dass Frustrationen auftreten, das Pferd an allem nagt und aggressiv werden kann.

SPORTPFERDE

- Sportpferde benötigen auf Reisen viel Raufutter mit hohem Nährwert.
- Sorgen Sie dafür, dass das Pferd immer Raufutter vom Boden fressen kann.
- Achten Sie darauf, dass das Tier auch auf Reisen ausreichend trinkt.
- Geben Sie dem Pferd Kraftfutter, das die Gefahr von Magengeschwüren und Darmproblemen minimiert (beispielsweise mit viel Fett).
- Fahren Sie ruhig, nehmen Sie immer dieselben Personen mit und behalten Sie wenn möglich die festen Fütterungs- und Bewegungszeiten bei.

Bei Pferden im Spitzensport gelten dieselben Grundregeln für eine gute Ernährung: viel Raufutter, verteilt auf mindestens drei Fresszeiten pro Tag. Darüber hinaus muss die Ration in der Regel Kraftfutter enthalten, da solche Tiere viel Energie verbrauchen.

Aufgrund der vielen Reisen und des vollen Terminkalenders bei Sportpferden ist das Stressrisiko sehr hoch. Der Stress und die unregelmäßige Futteraufnahme machen die Tiere anfällig für Magengeschwüre, Koliken und Durchfall.

Die Ration eines Sportpferdes sollte daher nicht verändert werden, auf das Tagesprogramm abgestimmt sein, um die Gefahr einer Magen-Darm-Erkrankung zu reduzieren.

KAPITEL 5

Auf der Weide

Kümmern Sie sich um die Pflege des Graslandes und achten Sie auf die Ernährung der Pferde auf der Weide.

Eine Weide kommt dem natürlichen Lebensumfeld der Pferde recht nahe. Sie können dort herumlaufen, fressen und soziale Kontakte pflegen und damit ihre natürlichen Bedürfnisse befriedigen.

Das Gras auf der Weide ist allerdings viel nahrhafter als das Gras in der Natur und die Pferde haben dort viel weniger Platz. Die Pflege des Graslandes und die Fütterung von Pferden auf der Weide erfordert daher viel Aufmerksamkeit. Außerdem müssen inneren Parasiten (Würmern) vorgebeugt werden.

Rangordnung und Herden

Das Sozialgefüge einer Herde gewährleistet den Zusammenhalt und die Stabilität in der Gruppe. Innerhalb dieses Gefüges gibt es eine Rangordnung und Freundschaften. Ganz oben in der Rangordnung stehen die stärksten und gesündesten Pferde. Sie führen die Gruppe an, da sie das Gelände kennen und wissen, wo Nahrung und Wasser zu finden ist. Außerdem wissen sie um Risiken und Gefahren. Die Nachkommen der stärksten und vitalsten Pferde verfügen auch am ehesten über die Eigenschaften, die für das Fortbestehen der Herde erforderlich sind. Die Rangordnung legt fest, wer führt und wer folgt, und auch die Fortpflanzung hängt von ihr ab. Wenn die Futtermenge begrenzt ist, fressen dominante Pferde zuerst.

Für Fohlen und junge Pferde sind soziale Verhaltensweisen äußerst wichtig. Sie erlernen sie im Umgang mit älteren Tieren.

HINWEISE AUF EINE INSTABILE GRUPPE

- Unruhe
- andauerndes gegenseitiges Jagen
- abgemagerte Tiere
- zu viele Biss- oder Trittwunden

Rangniedere Tiere machen auf der Weide Platz für ranghöhere. Am besten wird dies beim Fressen und Trinken deutlich. Ranghöhere Pferde sind zuerst an der Reihe, die rangniederen müssen warten.

Gruppen in freier Wildbahn

In freier Wildbahn kommen zwei Arten von Herden vor:

1. Familiengruppen mit einem oder mehreren Hengsten und einigen Stuten (Harem) sowie ihren Nachkommen.
2. Junggesellengruppen, in der Regel mit zwei bis vier jungen Hengsten

Freundschaften entstehen in der Regel zwischen Pferden gleichen Alters und gleichen Ranges. Befreundete Pferde grasen gern nebeneinander, sie beknabbern einander und schirmen sich von Artgenossen ab. Freundschaften halten lange. 90 % aller ausgewachsenen Stuten haben auch nach zwei Jahren noch denselben Freund oder dieselbe Freundin.

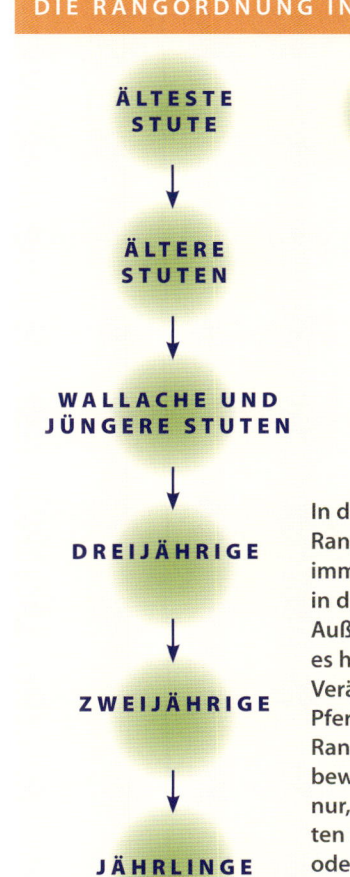

DIE RANGORDNUNG IN EINER HERDE

ÄLTESTE STUTE

HENGST

↓

ÄLTERE STUTEN

↓

WALLACHE UND JÜNGERE STUTEN

↓

DREIJÄHRIGE

In der Praxis ist die Rangordnung nicht immer so klar wie in diesem Schema. Außerdem kommt es häufiger zu Veränderungen. Den Pferden selbst ist die Rangordnung nicht bewusst. Sie wissen nur, wer in bestimmten Situationen über oder unter ihnen steht.

↓

ZWEIJÄHRIGE

↓

JÄHRLINGE

Durch gegenseitige Fellpflege werden die Kontakte untereinander verbessert und Stress reduziert. Durch Bürsten und Streicheln lässt sich dieses Verhalten nachahmen.

Langsame Gewöhnung an die Weide

Aufgrund der großen Unterschiede zwischen dem Futter im Stall und auf der Weide ist ein langsamer Übergang notwendig. Stellen Sie das Pferd erst dann auf die Weide, wenn das Gras etwas älter und faserhaltiger ist. Lassen Sie es in den ersten Tagen nur eine Stunde Gras fressen und steigern Sie diese Zeit bis auf einige Stunden pro Tag. Da sich die Zusammensetzung des Grases vor allem im Frühjahr stark verändert, sollte der Weidegang nur einen begrenzten Teil der Ration ausmachen.

Neue Tiere einführen

Die Einführung neuer Pferde sorgt in einer Herde immer für Unruhe. Sorgen Sie für ausreichend Stabilität in der Gruppe und genügend Platz. Der beste Ort ist eine große Weide, auf der sich das neue Pferd von den anderen fern halten kann.

Eventuell kann sich das neue Pferd erst auf einer kleineren Weide an ein Pferd aus der Gruppe gewöhnen. Später können die Tiere dann zur Gruppe stoßen. Verteilen Sie Futter auf verschiedene Stellen auf der Weide.

Pferde, die in ihrer Jugend keine sozialen Regeln erlernt haben, werden in einer Gruppe manchmal nicht akzeptiert. Solche nicht sozialisierten Pferde können mit viel Geduld auch nachträglich noch soziales Verhalten lernen. Stellen Sie sie gemeinsam mit einer stabilen, älteren Stute, die klare Signale aussendet, auf eine große Weide. Der nächste Schritt könnte die Einführung in eine kleine Gruppe mit ausgeprägter Hierarchie und viel Platz sein. Ganz allgemein gilt: Je ausgeprägter die Hierarchie, desto weniger Raufereien.

RISIKEN IM FRÜHJAHR

- **Junges Gras:** Frisch aufgegangenes Gras enthält wenig Rohfaser und ist schnell abbaubar. Ein Mangel an Fasern kann die Darmflora des Pferdes beeinträchtigen und Koliken oder dünnen Kot verursachen.
- **Spätnachmittag bei schönem Wetter:** Dies ist kein geeigneter Moment, Pferde erstmals Gras fressen zu lassen, da der Zuckergehalt dann möglicherweise zu hoch ist.
- **Nach Nachtfrösten:** Nach einem sonnigen Tag und tiefen Nachttemperaturen (< 5 °C) kann das Gras morgens reich an Zucker und Fruktan sein. Dies ist kein geeigneter Zeitpunkt für den Weidegang, vor allem dann nicht, wenn das Pferd anfällig für Koliken oder Hufrehe ist.

Im Frühjahr (etwa im März) werden die Stuten wieder rossig. Sie urinieren dann häufiger, stellen dabei die Hinterbeine charakteristisch nach hinten und machen den Rücken krumm. Der Urin riecht stärker und ist gelber und dickflüssiger als normalerweise. Nach dem Urinieren flattern die Schamlippen länger als gewöhnlich. Dies ist bei vielen rossigen Stuten auch zu beobachten, wenn sie nicht urinieren. Im Sommer sind Stuten alle 21 Tage für 5 bis 7 Tage rossig. In dieser Zeit findet der Eisprung statt und die Stute ist fruchtbar.

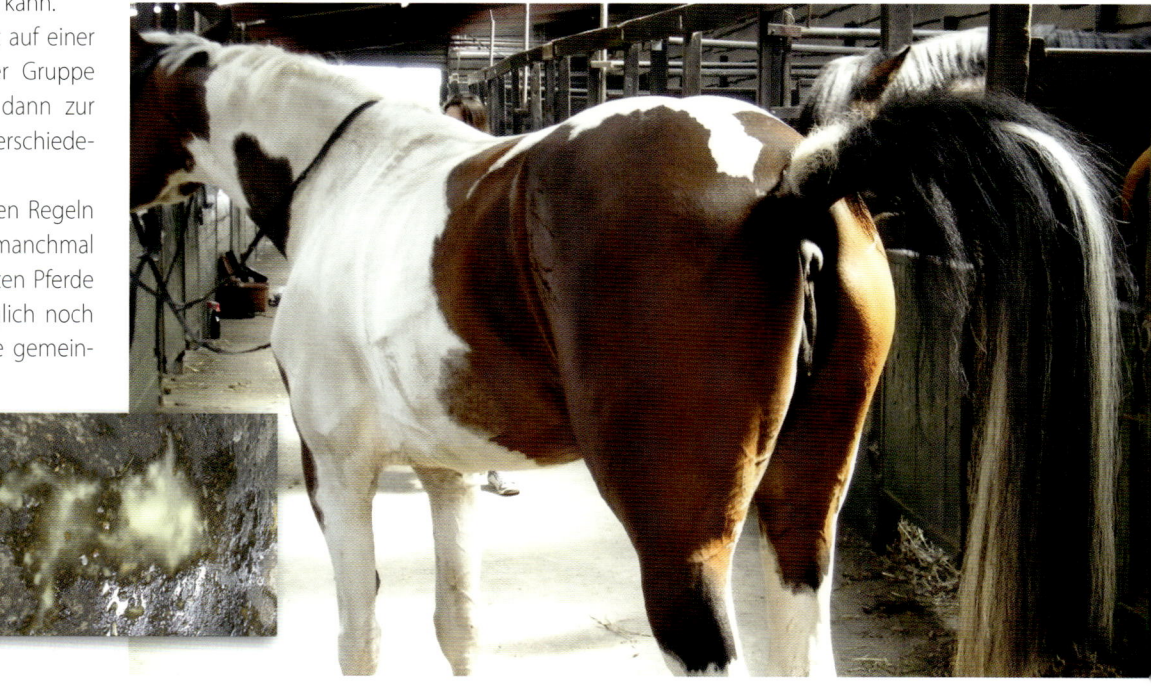

WASSER AUF DER WEIDE

Diese jungen Pferde müssen häufiger aus dem Graben gezogen werden, denn sie können nicht gut trinken. Ein weniger steiler Abhang könnte das Problem lösen. Berücksichtigen Sie, dass der Wasserpegel im Sommer weiter absinken kann.

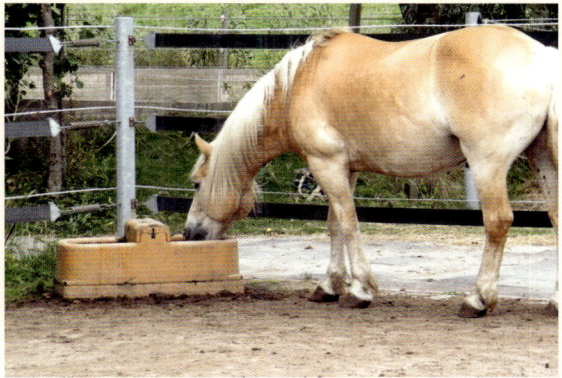

Pferde trinken von Natur aus mit gesenktem Kopf.

Auch bei Weidegang benötigen Pferde ungeachtet des Flüssigkeitsgehalts im Gras sauberes Trinkwasser. Am besten ist Leitungswasser geeignet. Wenn das Wasser in den Gräben garantiert sauber ist, können die Pferde problemlos daraus trinken.
Lassen Sie das Wasser im Zweifel analysieren.

SCHUTZ SUCHEN

Ein Unterstand sollte vor allem Schutz vor der Sonne bieten. Diese steht zur heißesten Zeit des Tages im Südwesten. Das ist auch die Regenseite.

Pferde haben auf der Weide gern eine Hecke, einen Baum oder einen Unterstand, um Schutz vor der brennenden Sonne, schneidendem Wind oder starkem Regen zu suchen.

? Hat die Tränke die richtige Höhe?

SUCHBILD

Die Tränke muss möglichst niedrig angebracht sein, sodass auch das kleinste Pferd leicht daraus trinken kann. Pro Gruppe sind mindestens zwei Tränken erforderlich, die täglich gereinigt werden müssen.

Abkotstellen

Kot kann Darmwürmer enthalten. Pferde umgehen einen Wurmbefall, indem sie nicht in der Nähe von Kot grasen. Das ist notwendig, weil manche Pferde nur schwache Abwehrkräfte gegen einen Befall mit Parasiten wie Darmwürmern ausbilden.

Weil die Pferde nicht in der Nähe des Kots fressen, entsteht dort eine Stelle mit langem Gras und viel natürlichem Dünger: die Abkot- oder auch Geilstelle. Ausgewachsene Pferde koten etwa alle 3 Stunden ab und urinieren alle 4 Stunden.

Mistverhalten von Stuten

Stuten (und häufig auch Wallache) koten nicht auf dem Dung anderer Tiere ab. Sie riechen zwar daran und flehmen, koten aber neben dem bereits vorhandenen Kot ab. So werden die Geilstellen immer größer. Stuten urinieren in der Regel nicht auf Kot, im Gegensatz zu Hengsten, die damit ihre Präsenz unterstreichen.

Wurmbefall bekämpfen

Beim Entwurmen sollten Sie gezielt vorgehen. Entwickeln Sie einen Plan und ziehen Sie einen Tierarzt zu Rate.

Eine sinnvolle Wurmbekämpfung umfasst Folgendes:

1. zwei Mal wöchentlich Kot von Paddock und Weide entfernen
2. regelmäßige Kontrolle des Kots auf Wurmeier hin während des Sommers
3. Entwurmen, wenn nötig, aufgrund einer Kotprobe
4. korrekte Verwendung des richtigen Wurmmittels und korrekte Dosierung

ABKOTEN BEI HENGSTEN

Hengste riechen am Kot und flehmen (Hochwölben der Oberlippe), um so alle Sexualduftstoffe (Pheromone) gut riechen zu können. Anschließend koten sie auf den bereits vorhandenen Kot. Das bedeutet: Ich war hier.

RISIKOGRUPPE: PFERDE BIS ZU 3 JAHREN

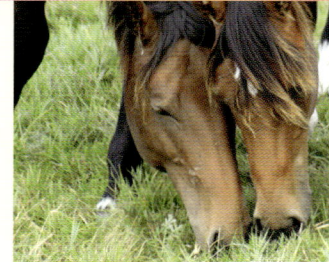

Fohlen und Pferde unter drei Jahren sind anfälliger für einen Wurmbefall, da ihre Abwehrkräfte noch zu schwach sind. Diese Tiere bilden daher eine Risikogruppe für Darmparasiten.

Bei weniger als vier Pferden pro Hektar ist die Gefahr eines Wurmbefalls sehr gering. Häufig befinden sich aber mehr Pferde auf einer Weide. Entfernen Sie den Kot mindestens 2 Mal wöchentlich. So lässt sich das Risiko eines Wurmbefalls reduzieren und die Pferde lassen weniger Gras stehen.

Pferde ziehen unsichtbare Fluchtkreise um sich herum. Wenn Sie in diesen Kreis eindringen, läuft das Tier weg. Der Durchmesser des Fluchtkreises ist je nach Pferd unterschiedlich und hängt vor allem davon ab, welche Erfahrungen es mit Menschen gemacht hat. Bei jungen Pferden sind es 2,3 Meter.

Pferde einfangen

In der Regel lassen sich Pferde auf der Weide leicht einfangen. Manchmal wird das aber zum Problem. Das Pferd läuft weg, sobald Sie sich nähern. Dieses Verhalten kann zwei Ursachen haben. 1. Das Pferd hat Angst vor Ihnen. 2. Das Pferd hat keine Lust, es mag die Arbeit nicht oder es hat Schmerzen bei der Arbeit. Ängstliche Pferde sind angespannt (siehe Seite 22). Sind keine Anzeichen für Anspannung oder Angst erkennbar, hat es einfach keine Lust.

Ängstliche Pferde einfangen

Hat ein Pferd Angst, gilt es vor allem, Ruhe zu bewahren. Lassen Sie sich Zeit und nähern Sie sich nicht von vorn, sondern gehen Sie in Zickzacklinien auf die Schulter zu. Will das Pferd weglaufen, entfernen Sie sich etwas. Bleibt es stehen, gehen Sie ein kleines Stück näher.

Lustlose Pferde einfangen

Hat ein Pferd keine Lust, mit Ihnen zu kommen, müssen Sie die Führung wieder übernehmen. Jagen Sie das Pferd weg, wie es ein dominantes Tier machen würde, und zwar so lange, bis es die Ohren auf Sie richtet und den Kopf senkt. Prüfen Sie dann, ob Sie sich nähern können oder – noch besser – das Pferd zu Ihnen kommt. Eine weitere Möglichkeit besteht darin, sich mit befreundeten anderen Pferden zu beschäftigen.

SO KÖNNEN SIE IHR PFERD AUCH MORGEN WIEDER PROBLEMLOS EINFANGEN

- Sorgen Sie für Spaß bei der Arbeit mit viel Abwechslung, ohne Stress und Schmerzen.
- Nehmen Sie einen Leckerbissen mit und belohnen Sie das Tier, wenn es kommt.
- Gehen Sie zwischendurch nur zum Streicheln auf die Weide, ohne das Pferd zu holen.

SUCHBILD

Hat dieses Pferd Angst oder nur keine Lust?

Das Pferd hat den Kopf gesenkt. Es läuft ruhig und schlägt mit dem Schweif. Es hat keine Lust.

Giftige Pflanzen

Giftige Pflanzen schmecken oder riechen in der Regel schlecht. Ein Glück, aber wenn Pferde nichts zu tun oder Hunger haben, fressen sie alles, also auch Hecken und Sträucher neben dem Paddock oder der (kahlen) Weide. Darauf sollten Sie achten, wenn die Weide abgegrast ist. Um das Pferd zu beschäftigen, eignen sich Gegenstände, an denen es gefahrlos nagen kann.

Jedoch nicht alle giftigen Pflanzen schmecken schlecht. So mögen Pferde etwa sehr gern Eicheln. Junge Eicheln und junge Eichenblätter sind aber giftig, wenn zu viel davon gefressen wird. Im Normalfall sind diese Teile des Baums von der Weide aus nicht erreichbar, aber nach Herbststürmen kann die Situation anders aussehen. Ältere Eicheln in kleinen Mengen sind nicht gefährlich. Stellen Sie die Pferde nicht auf gefährdete Weiden oder trennen Sie den betroffenen Bereich mit einem Elektrozaun ab und entfernen Sie Eicheln und Zweige.

Pferde scharren gern. Sie suchen sich ihr Futter mit den Augen, nach dem Geruch und Geschmack und durch Tasten. Außer Gras und Kräutern fressen sie Zweige, Rinde, Blätter und Früchte von Bäumen und Sträuchern.

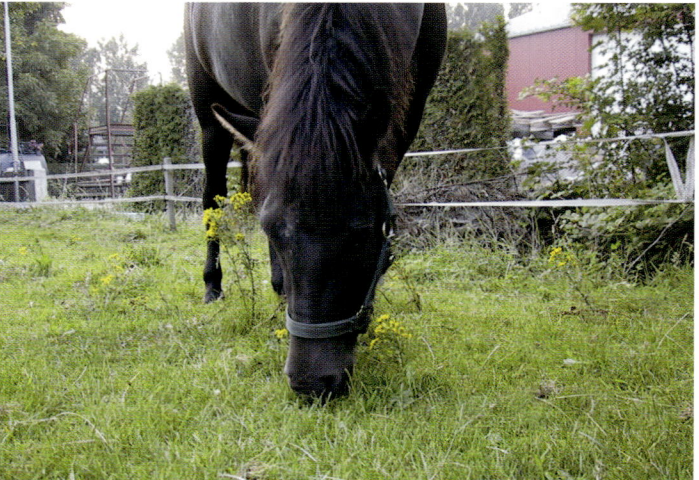

Jakobskreuzkraut ist giftig und führt zu Leberschäden. Pferde auf der Weide erkennen es am Geruch und am Geschmack. Wenn genügend Gras vorhanden ist, fressen sie es nicht. Getrocknetes Jakobskreuzkraut in Heu oder Silage verliert den typischen Geruch und Geschmack, ist aber immer noch giftig. Füttern Sie daher kein Heu und keine Silage von Wiesen, auf denen Jakobskreuzkraut wächst. Entfernen Sie alles Jakobskreuzkraut von der Weide und darum herum.

Füttern Sie Pferde niemals mit Gartenschnitt! In Gärten und Hecken wachsen verschiedene Giftpflanzen, die ein Pferd normalerweise nicht frisst. So kann Gartenschnitt giftige Mengen von Eibe, Rhododendron, (Acker-)Schachtelhalm und Fingerhut enthalten. Grasschnitt kann bei Pferden Verstopfungen verursachen, weil sie zu wenig darauf kauen.

Pferde können das Gras fast bis auf den Boden abfressen. Sie fassen mit ihren Lippen kleine Büschel und ziehen bzw. schneiden es mit ihren Vorderzähnen ab. Durch das kurze Abgrasen wächst das Gras nur langsam und das Pferd nimmt so eventuell auch viel Sand mit auf.

Wenn ein kleiner Teil der Weide abgesperrt wird, kann das Pferd nicht unbegrenzt Gras fressen. Läßt man das Tier lange Zeit auf derselben Stelle grasen, wird diese zerstört und das Pferd nimmt viel Sand auf. Der Elektrozaun sollte daher regelmäßig umgestellt werden.

Auf der Weide werden Pferde schnell zu dick. Sie können dort, bei gutem Graswuchs, bis zu 5 kg Gras in der Stunde fressen. Auf einer Weide mit kurzem Gras ist die Menge geringer. Es werden aber viele Nährstoffe aufgenommen, vor allem bei jungem Gras. Ein Pferd, das etwa 7 Stunden grasen kann, hat genügend Energie für den ganzen Tag. Bleibt es länger auf der Weide, wird es zu dick.

Eingeschränkter Weidegang

Im Sommer dürfen Pferde länger auf die Weide. Das Gras wächst langsamer und die Nährstoffschwankungen sind geringer als im Frühjahr. Das Gras ist jetzt einheitlicher und enthält mehr Fasern. Daher kann es einen Großteil der Ration ausmachen. Gras liefert aber auch viel Energie, weshalb die meisten Pferde nur einen Teil des Tages auf der Weide bleiben dürfen.

Füttern Sie das Pferd zum Beispiel morgens mit ein wenig Heu, lassen Sie es dann 5 Stunden auf die Weide und geben Sie abends eventuell Kraftfutter oder ein Ergänzungsfutter und später noch etwas Heu. Genau wie Heu kann auch Gras viele oder wenig Mineralstoffe und Vitamine enthalten. Es muss also möglicherweise ein Ergänzungsfutter oder energiearmes Kraftfutter zugefüttert werden, wenn das Pferd ansonsten kein Kraftfutter enthält. Mithilfe des Body Condition Score können Sie ermitteln, ob das Pferd zu dick oder zu mager wird, also ob es zu viel Gras frisst oder zu wenig.

RISIKOZEIT: TROCKENHEIT

Bei längeren Trockenzeiten wächst das Gras kaum und der Zucker- und Fruktangehalt steigt an. Dann kann es zu Koliken, Durchfall und Hufrehe kommen. Verkürzen Sie den Weidegang und füttern Sie mehr anderes Raufutter. Hat es wieder geregnet, wächst das Gras schnell und der Zuckergehalt sinkt. Die Pferde können dann wieder länger auf die Weide.

Stellen Sie Pferde nicht auf eine Weide mit Stachel- oder Schafdraht. Sie können sich mit den Beinen leicht darin verfangen, vor allem dann, wenn der Zaun nicht unter Strom steht. So entstehen lästige Wunden. Verwenden Sie für die Umzäunung breites Elektroband, Holzbalken oder Eisenrohre.

Mit einer Fressbremse können Pferde länger auf der Weide bleiben. Im Maulkorb sind kleine Öffnungen, durch die das Pferd die Grashalme fressen kann. Die Fressgeschwindigkeit reduziert sich so um 50 bis 75 %. Allerdings muss das Tier das Fressen damit erst lernen. Verwenden Sie die Hilfe nur bei Pferden, die Sie im Blick haben. Das Pferd kann den Maulkorb abstreifen und sich darin verheddern.

Pferde brauchen eiweißarmes und überständiges (faserreiches) Gras. Im Gegensatz zu Rinderweiden, auf denen junges, eiweißreiches Gras schnell wächst, ist auf Pferdeweiden weniger und eiweißarmes Gras zu finden. Daher ist bei Pferdeweiden auch weniger Stickstoffdüngung nötig als bei Grasland für Kühe, denn Stickstoff bewirkt, dass sich Eiweiß im Gras bildet.

Mithilfe von Sonnenlicht wird im Gras Zucker gebildet, den es zum Wachsen braucht. Morgens ist der Zuckergehalt im Gras am niedrigsten, spätnachmittags am höchsten. Bei widrigen Bedingungen kommt das Wachstum zum Erliegen und die Graspflanzen speichern den Zuckerüberschuss in Form eines Speicherkohlenhydrats: Fruktan. Steigt der Fruktangehalt plötzlich stark an, ist das für Pferde nicht gut. Widrige Wachstumsbedingungen sind etwa Trockenheit, ein Mangel an Nährstoffen (Stickstoff) und sehr kurzes Abgrasen.

Pferde, die leicht Durchfall bekommen, sollten erst später im Frühjahr auf die Weide gelassen werden. Das Gras wächst dann langsamer und enthält mehr Rohfaser.

DÜNGUNG

GEFAHREN BEI GRAS MIT VIEL ZUCKER UND FRUKTAN

Der im Gras enthaltene Zucker wird im Dünndarm des Pferdes zu Glukose zersetzt und in das Blut aufgenommen. Die Glukose ist der Energielieferant des Pferdes. Fruktane sind Zucker, die im Dünndarm nicht verdaut werden können. Dagegen fermentieren die Bakterien im Dickdarm die Fruktane sehr schnell. Auch so entsteht Energie für das Pferd in Form von sogenannten flüchtigen Fettsäuren. Steigt der Fruktangehalt im Gras plötzlich stark an, gelangt auch viel Fruktan auf einmal in den Dickdarm. Die Fermentation führt dann zu einer starken Reduzierung des Säuregrads (pH-Wert). Auf diese Weise entstehen Giftstoffe, die in die Blutbahn gelangen. Die möglichen Folgen sind Koliken, Durchfall und Hufrehe.

Jung gemähtes Gras ergibt weiches, blattreiches Heu ohne harte Stängel oder Ähren (Blütenstände). Das Heu von lang gewachsenem Gras enthält viele grobe Stängel und Ähren und ist hart. Im Gegensatz zu älterem Gras ist junges Gras ist ein reichhaltiges Futter. Um Heu mit einem geringen Zuckergehalt zu erhalten, muss früh morgens gemäht werden. Nach kalten Nächten gilt das nicht.

Dieses frisch gemähte Gras enthält viel Sand und ist verschimmelt. Durch den nassen Boden wird die Schimmelbildung noch verstärkt. Daraus kann kein gutes Futter werden.

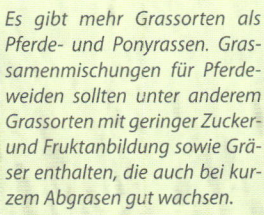

Es gibt mehr Grassorten als Pferde- und Ponyrassen. Grassamenmischungen für Pferdeweiden sollten unter anderem Grassorten mit geringer Zucker- und Fruktanbildung sowie Gräser enthalten, die auch bei kurzem Abgrasen gut wachsen.

Herstellung von Heu oder Silage

Die Qualität von Heu oder Silage lässt sich durch die Düngung, die Grassorten auf der Weide sowie ein sachkundiges Mähen und Trocknen beeinflussen. Ob das Endprodukt sich dann als Futter für ein bestimmtes Pferd eignet, hängt von der verrichteten Arbeit und von den weiteren Bestandteilen der Futterration ab.

Heu

Heu muss sehr trocken sein, damit es nicht warm wird und sich kein Schimmel bildet. Erst dann kann es zu Ballen geformt werden. Staub im Heu besteht vor allem aus Schimmel oder Sand, manchmal auch aus zerriebenen Blättern. Schon wenn das Gras noch auf dem Feld steht, kann es von Schimmel befallen sein. Er kann sich aber auch später auf dem Heu entwickeln, wenn dieses noch nicht ganz trocken ist.

Silage

Silage ist feuchter und staubt daher nicht. Da sie nicht trocken zu sein braucht, ist der Einfluss der Witterung auf den Herstellungsprozess geringer. Silage enthält Säure, die von Bakterien erzeugt wird (durch Fermentation) und verdirbt deshalb nicht. Die Fermentation gelingt am besten, wenn die Silage fest zusammengepresst und sofort mit einer dicken Kunststofffolie luftdicht verschlossen wird. Trockene Silage enthält wenig Säure. Sie wird daher leicht warm, wenn die Folie entfernt und die Silage mit Luft in Berührung kommt.

Futterwechsel im Herbst

Im Herbst erfolgt der Übergang von Gras zur Stallfütterung. Dabei ergeben sich weniger Probleme als beim Futterwechsel im Frühjahr. Aber auch dann können sich durch den Übergang zu trockenerem Raufutter und weniger Bewegung Koliken infolge einer Verstopfung in den Därmen ergeben. Sorgen Sie daher für einen schrittweisen Übergang und für ausreichend Bewegung während der Stallzeit.

PFERDE AUF KAHLEN WEIDEN: DIE RISIKEN

Wenn Pferde oder Ponys auf eine kahle Weide gestellt werden, kann verhindert werden, dass sie zu viel fressen. Das Verlangen nach Gras sorgt aber dafür, dass das Tier weiter frisst, auch wenn fast kein Gras mehr vorhanden ist. Die Nachteile: Das Pferd bekommt zu wenig Rohfasern, frisst leichter giftige Pflanzen und nimmt möglicherweise viel Sand auf. So ergeben sich Verdauungsstörungen wie Koliken und Durchfall. Außerdem wächst das Gras nur langsam wieder und bestimmte Grassorten sterben ab.

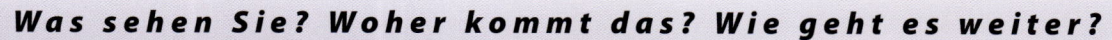

Was sehen Sie? Woher kommt das? Wie geht es weiter?

SUCHBILD

Ein Pferd mit Hufrehe in typischer Haltung: Es will nicht laufen. Das Tier versucht, die Vorderbeine zu entlasten, indem es mehr Gewicht auf die Hinterbeine verlagert. Dazu stellt es die Vorderbeine nach vorn und lässt den hinteren Teil etwas sacken. Es sieht aus, als wolle es nur auf dem hinteren Teil der Hufe stehen. Beim Laufen ist das Pferd sehr vorsichtig, weil alle Hufe schmerzen. Hufrehe ist eine recht komplizierte Krankheit. Sie entsteht, wenn die Horn bildende Verbindungsschicht zwischen dem Hufhorn und dem Hufbein angegriffen ist.

Pferde, die viel draußen stehen, brauchen einen trockenen Platz, an dem sie beispielsweise fressen können, etwa ein Schutzdach oder eine befestigte Stelle.

Winter

Pferde können auch im Winter problemlos im Freien stehen. Solange Gras vorhanden ist, kann die Ration täglich durch einige Stunden Weidegang ergänzt werden. Die restliche Zeit verbringen die Pferde im Stall oder im Paddock. Düngen Sie das Gras im Frühjahr und sorgen Sie für eine Ruheperiode, in der es wachsen kann. In dieser Zeit können die Pferde nur im Paddock stehen.

Mit dieser Rundraufe können Pferde im Freien gefüttert werden, ohne dass das Futter nass wird. Erschrecken die Pferde und laufen mit erhobenem Kopf rückwärts, können sie sich nicht am Fressgitter, wohl aber am Dach stoßen. Das Dach kann entfernt werden. Hier ist es mit einem Stoßschutz versehen.

Das ist Sauerampfer. Auf kurz abgegrasten Weiden dominieren bestimmte Kräuter und Gräser wie diese Pflanze oder Löwenzahn. Sie können schnell wieder wachsen, da sie über dicke Wurzeln und einen Nahrungsspeicher verfügen. Damit wieder Gras wachsen kann, müssen sie entfernt werden.

Auch im Winter können Pferde mit gutem Fell problemlos draußen stehen. Achten Sie dann darauf, dass eisfreies Trinkwasser verfügbar ist.

KAPITEL 6

Der Umgang mit Pferden

Pferde kommunizieren ständig miteinander. In der Regel reicht die Körperhaltung oder eine kleine Bewegung aus. Manchmal kommt es auch zum körperlichen Kontakt (Schieben, Beißen, Treten).

Pferde beherrschen nur die Pferdesprache. Für eine sichere Zusammenarbeit müssen Sie sich daher anpassen und das Pferd wie ein Pferd behandeln. Das Wichtigste dabei ist, dass Mensch und Tier sich sicher fühlen und das Pferd Ihre Führungsrolle akzeptiert. Sie müssen im Rang über ihm stehen.

Führungsrolle

Ein großes Pferd wiegt 650 kg, ist viel schneller als Sie und extrem empfindlich, hat Zähne, kann ausschlagen und soll sich Ihrem Willen beugen. Wie erreichen Sie das?

Zunächst müssen Sie verstehen, dass Sie, was die Kraft angeht, dem Pferd nicht überlegen sind. Daher gilt es, die Auffassungsgabe des Pferdes und seine natürliche Kooperationsbereitschaft zu nutzen. Beides liegt in der Natur von Herdentieren.

In puncto Kraft sind Sie dem Pferd nicht überlegen. Das Tier muss Ihnen folgen wollen und auch können.

DRUCK: ENERGIE, DER EIN PFERD NACHGIBT

Mithilfe von Druck verdrängt ein Pferd seine Artgenossen, nimmt seinen Platz in der Rangordnung einer Herde ein und erobert einen bestimmten Raum. Rangniedere Tiere weichen ganz selbstverständlich den ranghöheren.

Mit Druck arbeiten

Fast alle Anweisungen, die Sie einem Pferd geben, haben mit Druck zu tun. Dabei kann es sich um physischen Druck oder um Druck durch Ihre Körperbewegungen handeln. Pferde haben gelernt, Druck nachzugeben (sich davon weg zu bewegen). Fällt der Druck weg, empfindet das Tier dies als Belohnung. Dieses Prinzip wird beim Umgang mit Pferden und beim Training genutzt. Physischen Druck spürt das Tier am Körper, etwa an der Flanke, am Halfter oder Druck von einem Schenkel.

Eine weitere Form des Drucks ist der indirekte Druck. Diesen erkennt das Pferd an Ihrer Körperhaltung und Ihren Bewegungen. Das Tier achtet dabei auf Ihre Überzeugungskraft. In einer Herde würde man das als Drohen bezeichnen. Überzeugungskraft zeigen Sie, indem Sie gerade stehen, nicht zögern und energisch auftreten.

DRUCKZONEN

Druck hinter der Schulter: Pferd geht vorwärts

Druck vor der Schulter: Pferd dreht um

Pferde ziehen einen imaginären Fluchtkreis um sich (gelb). Innerhalb dieses Kreises weichen sie Ihrem Druck lieber aus. Wie groß der Kreis ist, hängt davon ab, welche Erfahrung das Pferd mit Menschen hat. In der Regel sind es etwa 2,3 Meter. Wann das Pferd ausweicht, hängt von der Stärke des Drucks ab. Bei einem Pferdekörper gibt es zwei Druckzonen: vor der Schulter und hinter der Schulter. Druck wird mithilfe der Körperhaltung und der Bewegung erzeugt. Druck hinter der Schulter bewirkt, dass sich ein Pferd nach vorn bewegt. Bei Druck vor der Schulter wird das Pferd langsamer und dreht um. Bei Druck direkt auf der Schulter bewegt sich das Pferd von Ihnen weg.

 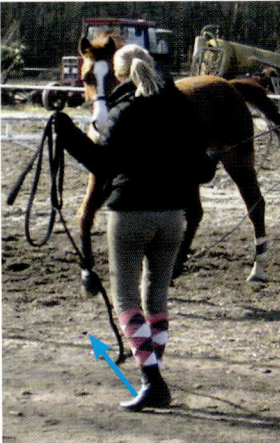

Wenn Sie Ihre Augen und Schultern vor die Schulter des Pferdes richten, dreht es um oder kommt zu Ihnen. Hier richtet der Longenführer den Druck (Pfeil) zu weit vor das Pferd (blau). Da Pferde dem Druck von Ranghöheren weichen, wird das Tier bestimmt nicht vorn vorbei gehen. Es geht also folgsam nach innen, kann aber auch umdrehen, auch wenn Sie eine Peitsche in der Hand haben.

Wenn das Pferd weiter im Kreis laufen soll, muss der Druck hinter seine Schulter gerichtet werden (grün). Manche Pferde laufen bei Druck vor der Schulter weiter, weil sie es so gelernt haben.

Druck verwenden in drei Schritten

Akzeptieren

Druck von Menschen ist Pferden fremd und führt zunächst zu einer Fluchtreaktion. Die Muskeln und das Gehirn des Tieres verkrampfen. Reagiert ein Pferd mit Spannung, beruhigen Sie es und wiederholen Sie die Anweisung in ruhigerer Form. Warten Sie, bis das Tier sich entspannt und Ihre Anweisungen akzeptiert und befolgt..

Verstehen

Durch Druck soll eine bestimmte Reaktion ausgelöst werden. Die richtige Reaktion zu finden ist für das Pferd aber oft gar nicht so einfach. Machen Sie es ihm leicht, logisch und richtig zu reagieren. Fordern Sie es geduldig weiter durch Druck auf, bis die Reaktion richtig ist, wenn auch vielleicht nur zum Teil. In diesem Moment lösen Sie den Druck. So erhält das Pferd seine Belohnung.

Kommunizieren

Sobald das Pferd versteht, dass es bei einem bestimmten Druck auf bestimmte Art reagieren soll, hat es das Gewünschte gelernt. Sie können jetzt mit ihm kommunizieren.
Durch Übungen zu unterschiedlichen Zeitpunkten lässt sich die Kommunikation verbessern: Druck geben, Reaktion erhalten, Druck lösen. So versteht das Pferd Sie immer besser, hat Spaß an der Arbeit mit Ihnen und ist entspannt.

AKTION – REAKTION – BELOHNUNG

Die Aktion (Druck) – löst eine Reaktion des Pferdes aus – und führt zu einer Belohnung (Druck fällt weg).

AKTION (Sie) → **REAKTION (Pferd)** → **BELOHNUNG (Sie)**

lernen

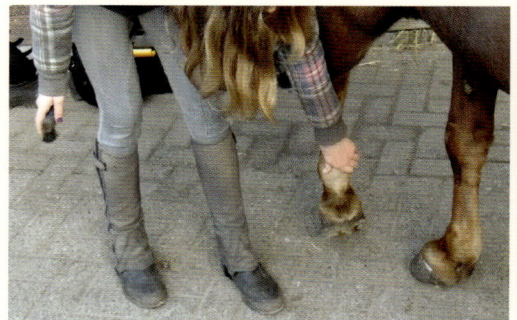

Aktion:	Druck auf das Fesselgelenk, eventuell mit dem Kommando „Gib Huf"
Reaktion:	Pferd hebt Huf an
Belohnung:	Druck auf das Fesselgelenk fällt weg

Aktion:	Druck auf das Gebiss (über den Zügel)
Reaktion:	Pferd geht langsamer
Belohnung:	Druck auf das Gebiss lösen (Zügel locker lassen)

Damit ein Pferd richtig reagiert, muss der Druck:

- klar und verständlich sein,
- immer identisch sein,
- in jeder Situation zu einer Belohnung führen,
- erst dann gelöst werden, wenn das Pferd reagiert,
- von jungen Jahren an geübt werden.

Je leichter, desto besser

Wenn das Pferd gut mitarbeitet und dabei entspannt und gehorsam ist, können die Hilfen immer dezenter ausfallen. Versuchen Sie, dieselbe Reaktion mit möglichst kleinen Hilfen zu bewirken. So sieht es aus, als würde das Pferd aus eigenem Antrieb handeln.

Erfolgsfaktoren

Während eines solchen Lernprozesses müssen Sie erkennen, was schief läuft oder nicht gut ist. Noch wichtiger ist es aber, dass Sie wissen, was zu tun ist, damit alles gut läuft. Daher sollten Sie sich auch bei positiven Aspekten fragen: Woher kommt das? Wie ist diese Situation entstanden? Mit anderen Worten: Welches sind die Erfolgsfaktoren?

Diese Frage können Sie sich ein Leben lang stellen, denn es geschehen immer wieder neue Dinge.

Druck abbauen in der Praxis

Beispiel: Schenkeldruck

Aktion: Druck gegen Flanke

Reaktion: Pferd läuft schneller

Belohnung: Druck auf die Flanke wird gelöst

Eine Hilfe (in diesem Fall der Schenkeldruck) kann drei verschiedene Intensitätsstufen haben:

- Stufe I: Druck auf die Haut
- Stufe II: Druck auf die Muskeln
- Stufe III: Druck auf den Knochen

Am Anfang sollten Sie es mit kleinen Hilfen der Stufe I versuchen.

Reagiert das Pferd nach 3 Sekunden noch nicht, folgt Stufe II.

Folgt immer noch keine Reaktion, geben Sie eine Hilfe der Stufe III.

Diese Stufe muss für das Pferd unangenehm sein. Wiederholen Sie die Hilfe der Stufe III, bis das Pferd reagiert, egal, wie lange es dauert. Wenn das Pferd keine Schmerzen hat, sucht es von selbst nach der Lösung, um den Druck zu beseitigen. Hat es die richtige Reaktion gefunden und wird es konsequent mit der Wegnahme des Drucks belohnt, wird es innerhalb von 10 Minuten auch bei Stufe I oder II reagieren.

SUCHBILD

? Kein Erfolg mit Schenkeldruck: Einsatz von Sporen?

Wenn Sie ständig Schenkelhilfen geben, ohne dass das Pferd schneller läuft, erhält das Pferd keine Belohnung mehr. Es gewöhnt sich an den Schenkeldruck, seine Sensibilität dafür nimmt ab. In diesem Fall wird häufig zu Sporen gegriffen, eventuell sogar mit Rädern, denn diese spürt das Pferd besser. Denken Sie aber daran, dass Pferde sogar eine Fliege auf ihrer Haut spüren können und stumpfe Stiefel umso besser. Beginnen Sie daher wieder von vorn:

Aktion: Schenkelhilfe – Reaktion: Pferd läuft schneller – Belohnung: Schenkel entspannen. Bauen Sie den Schenkeldruck langsam ab. So entwickelt das Pferd wieder ein Gefühl für den Stiefel.

DAS PFERDESIGNALE-KOOPERATIONSMODELL

Das Kooperationsmodell macht Ihnen stärker bewusst, wo Sie selbst und Ihr Pferd stehen. Das Ziel ist es, dass Pferd und Reiter entspannt sind (rechts), Sie die Führungsrolle übernehmen (oben) und das Pferd kooperiert (unten). Prüfen Sie, an welcher Stelle des Modells Sie und Ihr Pferd sich befinden.

Stress abbauen

mit dem Schweif schlagen

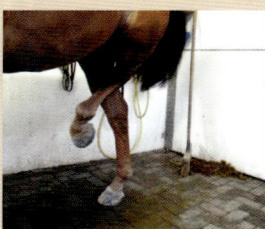

Tritt androhen

Initiative ergreifen

temperamentvolles Pony

persönlichen Bereich betreten

nicht in den Anhänger wollen

intensives Lecken

BESTIMMEN

WIDERSPENSTIG

FÜHREN

ANGESPANNT

ENTSPANNT

ZURÜCKGEZOGEN

KOOPERIEREN

FOLGEN

Kraulen mit erhobenem Kopf

kein Schritt zuviel

kein Ausweg

Stress bei der Körung

gemeinsam durch „unheimliche" Gatter

Huf geben

sich einfangen lassen

entspanntes Folgen mit Abstand

Gegenseitigen Einfluss verstehen

Die Kontakte zwischen Mensch und Pferd und die gegenseitige Beeinflussung schwanken ständig zwischen Anspannung und Entspannung, zwischen Führen und Folgen. Das links abgebildete Pferdesignale-Kooperationsmodell verdeutlicht das mithilfe zweier Achsen.

Die horizontale Achse steht für die Anspannung. Wie sicher fühlt sich das Pferd? Ist es angespannt oder vertraut es Ihnen. Und sind Sie selbst angespannt oder ärgstlich?

Die vertikale Achse gibt die Rangordnung und das Ausmaß der Einflussnahme an. Wer entscheidet, was geschieht: Sie oder das Pferd?

DIE WICHTIGSTEN PFERDESIGNALE

ANGESPANNT	ENTSPANNT
gehetzt, Drängeln, Steigen	Tempo gut kontrollierbar
Kopf-Hals-Haltung hoch und gestreckt	entspannte tiefe Halshaltung
große Nüstern und Augen	Ohren, Nase und Augen ruhig
stockende Atmung	Schnauben

BESTIMMEN	FOLGEN
Beißen und Treten (Drohungen)	Lecken und Kauen
Ignorieren, Schieben	Persönlicher Bereich wird respektiert, Kopf seitlich
Ungehorsam	geduldiges Warten, Ohren auf Sie gerichtet
erhobener Hals	ruhiger Schweif

Gähnen und Schnauben helfen, Spannungen abzubauen. Das Pferd ist also angespannt.

Die richtige Zusammenarbeit finden

Ruhe und Gelassenheit helfen dem Pferd, sich zu entspannen. Auf der Achse „Angespannt <-> Entspannt" beeinflussen Mensch und Pferd einander gegenseitig. Je angespannter, ängstlicher oder frustrierter Sie selbst sind, desto angespannter wird auch Ihr Pferd. Mit Ihrer Ruhe und Gelassenheit nehmen Sie dem Pferd seine Unsicherheit und es entspannt sich.

Mit Durchsetzungsfähigkeit und Willenskraft erreichen Sie, dass das Pferd Ihnen gehorcht: Auf der Achse „Bestimmen <-> Folgen" nehmen Mensch und Pferd gegensätzliche Rollen ein. Wenn einer bestimmt, folgt der andere. Der Führende (also Sie) stellt klare Regeln auf und entscheidet, was geschieht. Er vermittelt diese Regeln dem Folgenden (dem Pferd) und sorgt dafür, dass sie von beiden befolgt werden. Wenn Sie nicht bestimmen, was geschieht, wird das Pferd es tun.

Anschaffung eines Pferdes

Achten Sie beim Kauf eines Pferdes darauf, ob Ihre Durchsetzungsfähigkeit mit dem Kontrolldrang des Pferdes vereinbar ist. Entscheiden Sie sich für ein Pferd, das Sie in den Griff bekommen können, nicht für eines, das Sie beherrscht. An Ihrer eigenen natürlichen Dominanz und derjenigen eines Pferdes können Sie kaum etwas verändern.

Angst und Anspannung hängen in hohem Maße davon ab, welche Erfahrungen das Pferd gemacht hat. Je zahlreicher diese sind, desto besser ist es an den Umgang mit Menschen gewöhnt und desto gelassener reagiert es.

Regeln festlegen

Regeln helfen Ihnen dabei, konsequent zu sein und die Führung über das Pferd zu übernehmen und zu behalten.

1. **Wo Sie stehen oder stehen möchten, kann das Pferd nicht stehen.** Ziehen Sie eine unsichtbare Linie zur Abgrenzung Ihres persönlichen Bereichs. Überschreitet das Pferd diese Linie, sorgen Sie durch Druck auf das Halfter oder mithilfe Ihrer Körperhaltung dafür, dass es diesen wieder verlässt. Gehen Sie auf das Pferd zu, damit es Platz machen muss.

2. **Sie entscheiden, was geschieht.** Daher müssen Sie sich darüber klar sein, was Sie möchten. Ergreifen Sie die Initiative und sorgen Sie dafür, dass Ihr Vorhaben ausgeführt wird, auch wenn dabei ein Umweg gemacht wird.

Zwingen Sie das Pferd auf eine ihm verständliche Weise, Ihre Regeln zu befolgen: durch Belohnung für gewünschtes Verhalten und unbequeme Maßnahmen bei schlechtem Verhalten.

Das Festlegen von Regeln beginnt bereits in der Box und zieht sich durch den ganzen Tag. Lassen Sie Ihr Pferd immer bei offener Tür warten, bis Sie ihm signalisieren, dass es heraus darf. Bleiben Sie konsequent und überlassen Sie ihm nicht die Initiative. Bei einem Pferd zählt jeder einzelne Moment.

Dieses Pferd läuft beim Aufsitzen weg. Sein Bewegungsdrang ist möglicherweise sehr groß. Ein sicheres Aufsitzen ist nur möglich, wenn das Pferd still steht. Wenn Ihr Pferd dies lernen soll, müssen Sie wieder absteigen und von vorn beginnen.

? Wer folgt wem?

SUCHBILD

Was sehen Sie? Das Pferd beschleunigt seinen Schritt ganz leicht, bis es mit der Schulter vor seiner Begleiterin ist. Ein Ohr ist noch auf sie gerichtet, aber das Tier hat bereits die Initiative ergriffen. Woran liegt das? Auch Pferde haben einen eigenen Willen. Sie wollen beispielsweise so schnell wie möglich zu den Artgenossen auf die Weide. Was ist zu tun? Übernehmen Sie wieder die Führung, indem Sie das Pferd warten lassen, oder gehen Sie in die andere Richtung. Es darf erst dann auf die Weide, wenn Sie es erlauben.

TIPPS FÜR EIN ENTSPANNTES PFERD

- Bleiben Sie selbst entspannt und gelassen.
- Sorgen Sie für eine übersichtliche, ruhige Umgebung.
- Lassen Sie sich bei aufregenden Dingen Zeit.
- Geben Sie Ihrem Pferd regelmäßig Gelegenheit, sich an Neues zu gewöhnen.

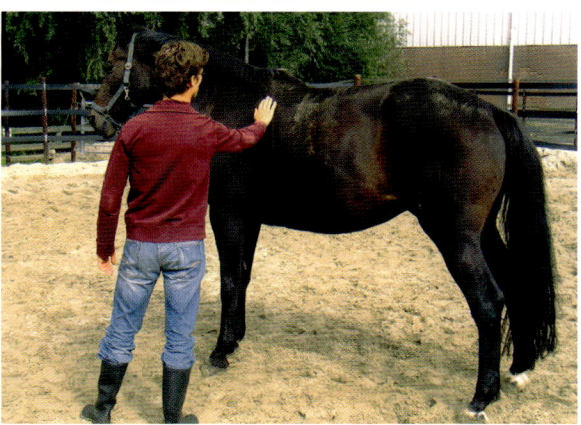

Ein Pferd, das sich bei Menschen sicher fühlt, lässt sich auch mit den seltsamsten Gegenständen entspannt und gelassen überall streicheln. Ganz geheuer ist ihm das vielleicht nicht, aber es hat gelernt, dass ihm die Zeit und der Raum gelassen wird, um sich wieder zu beruhigen. Das schafft Vertrauen in die Menschen. Wenn Sie ein Pferd am Widerrist kraulen, entspannt es sich noch mehr. So wird ein Reflex ausgelöst, der den Herzschlag verlangsamt.

Ruhig bleiben

Das Wichtigste, was Sie für Ihr Pferd tun können, ist, Ruhe zu bewahren. Pferde sind sehr anfällig für Spannungen. Sie spüren diese an Ihrem Verhalten. Wenn Sie ängstlich oder angespannt sind, fühlt ein Pferd das und wird selbst auch ängstlich. Wenn Ihr Pferd beispielsweise keine Angst vor Autos hat, Sie selbst aber bei jedem vorbeikommenden Auto unruhig werden, lernt das Tier, dass Autos eben doch beängstigend sind.

? Einsprühen mit Fliegenspray?

SUCHBILD

Das Pferd springt mit weit geöffneten Nüstern und gespitzten Ohren weg. Seine Augen sind groß, manchmal ist das Weiße darin zu sehen. Dieses Pferd hat Angst. Seine Atmung wird schneller und die Muskeln spannen sich an. Es ist zur Flucht bereit.

Woran liegt das? Das Fliegenspray ist womöglich eine neue Erfahrung. Es riecht seltsam, es macht ein beängstigendes Geräusch und es kribbelt auf der Haut. An solche Dinge muss sich ein Pferd erst gewöhnen. Ein Wettkampf ist dafür nicht der geeignete Ort, da Sie dann in Eile sind und die ungewohnte Umgebung an sich schon aufregend ist. Dazu kommt noch Ihre eigene Anspannung.

Was ist zu tun? Üben Sie das Sprühen zu Hause, in ruhiger Umgebung, oder verwenden Sie ein Tuch anstelle des Sprays. Bleiben Sie vor allem ruhig und nehmen Sie sich Zeit.

? Ist dieses Pferd entspannt?

SUCHBILD

Die Haltung signalisiert Ruhe und Entspannung, der Kopf ist gesenkt, Nüstern und Augen sind nicht aufgesperrt. Dieses Pferd ist nicht ängstlich, sondern entspannt. Das Ohr ist nach innen gerichtet und das Pferd bewegt sich auch in diese Richtung. Es möchte intensiveren Kontakt. Letztendlich wird das Pferd zum Zeichen der Gehorsamkeit lecken und kauen.

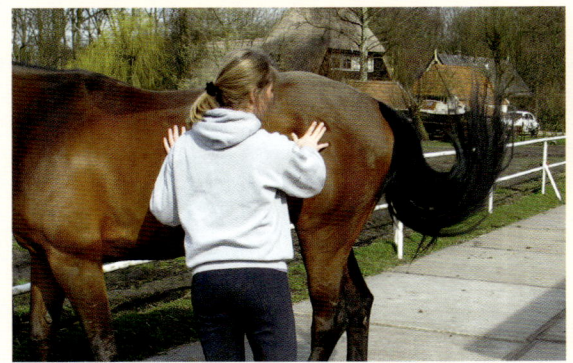  

Mit einem leichten Druck in die Flanke signalisieren Sie dem Pferd, dass es zur Seite gehen soll. Das Pferd schiebt zurück, schlägt mit dem Schweif und reißt den Kopf hoch. So drückt es seine Dominanz aus: „Für dich gehe ich nicht auf die Seite." Bleiben Sie jetzt selbstbewusst. Fordern Sie das Pferd nochmals deutlich auf, auf die Seite zu gehen, bis es Ihnen gehorcht. Wenn Sie vom Boden aus das Pferd nicht führen können, können Sie dies auch beim Reiten nicht.

In manchen Fällen ist es nicht leicht, die Führung über ein Pferd zu erlangen. Diese Stute hat eindeutig etwas gegen ihre Reiterin. Der Urin ist orangefarben. Sie ist rossig. Rossige Stuten reagieren überempfindlich, energisch und widerspenstig, auch auf Menschen. Berücksichtigen Sie dies beim Umgang mit dem Pferd und beim Training. Passen Sie Ihre Regeln und Ziele vorübergehend an. So vermeiden Sie Konflikte und gefährliche Situationen und behalten dennoch die Führung.

Dieser freundliche Biss sieht aus wie ein Spiel. Aber es geht auch darum, wer das Sagen hat. Vor allem junge Pferde versuchen auf diese Art, die Rangordnung festzulegen.

Wer führt, bestimmt

Pferde weichen dem Druck des Ranghöheren, des Anführers. Ist das Pferd selbst der Anführer, versteht es zwar Ihre Hilfen, tut aber nicht das, was sie möchten. Es möchte selbst bestimmten, was geschieht.

Wollen, aber jetzt nicht dürfen

Pferde wollen ständig etwas: viel Bewegung, frisches Gras, Kontakt mit Artgenossen usw. Je länger Pferde ohne diese Dinge auskommen müssen, desto größer wird das Bedürfnis danach und damit auch der Drang, die Bedürfnisse zu befriedigen. Dies ist daran zu erkennen, dass sich das Pferd nicht entspannt und beim Training und bei der Arbeit nicht konzentriert ist.

? ## Das Pferd will Gras fressen. Was ist zu tun?

Was sehen Sie? Bei einem Spaziergang senkt das Pferd jedes Mal, wenn ein Auto vorbeifährt, den Kopf, um Gras zu fressen. Woran liegt das? Pferde fressen gern Gras. Dieses Pferd hat gelernt, dass es nicht korrigiert wird, wenn ein Auto vorbeifährt. Die Begleiterin fürchtet einen Unfall und wartet daher mit der Korrektur, bis das Auto vorbei ist. Was ist zu tun? Geben Sie dem Pferd genügend Raufutter und gewöhnen Sie ihm das ungewünschte Verhalten ab. Wählen Sie dazu eine breite Straße. So können Sie das Pferd ohne Angst vor Unfällen korrigieren. Das Abgewöhnen einer Verhaltensweise dauert meist länger, als das Angewöhnen. Bleiben Sie also konsequent.

Dieses Pferd hat Angst: Augen und Nüstern sind aufgerissen, der Hals ist aufgerichtet und angespannt, die Ohren sind gespitzt. Zuerst steht es still und beobachtet die Lage, dann dreht es sich um und will flüchten. Häufig koten gespannte Pferde ab (wie auch hier). Beruhigen Sie das Pferd und bleiben Sie selbst gelassen. Sanfte Worte und ein Streicheln über den Hals können das Tier beruhigen und die Spannung durchbrechen. Dann richtet es seine Aufmerksamkeit wieder auf Sie.

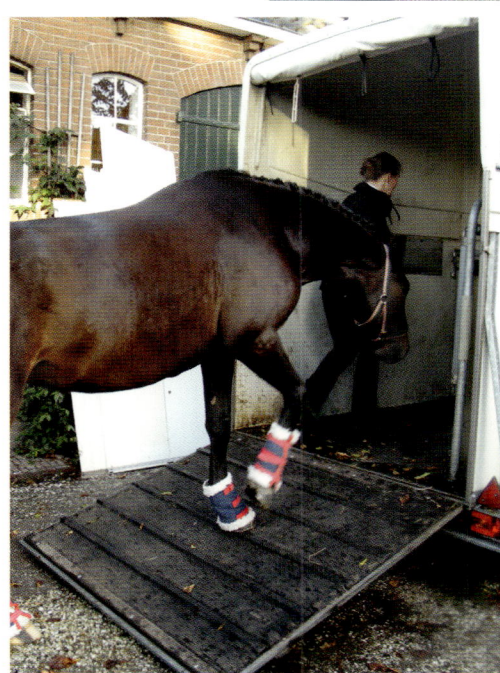

Ein Pferdeanhänger ist beunruhigend. Der Platz ist begrenzt, es gibt keine Fluchtmöglichkeit, alles wackelt und es ist dunkel. Nur mit einer großen Portion Vertrauen gehen Pferde in so einen Anhänger. Eventuelle Probleme beim Verladen können mithilfe anderer Pferde und durch viel Übung mit Führen und Anhalten gelöst werden. So verbessern Sie die Kontrolle über Ihr Pferd.

Bei Wettkämpfen sind die Anforderungen an das Pferd höher und auch Sie selbst sind nervös. Die Umgebung ist unbekannt und es sind keine anderen Pferde in der Nähe. Das alles kann für ein Pferd zu viel sein. Auch Wettkampferfahrung muss in aller Ruhe aufgebaut werden.

Zu starker Fluchtdrang

Manchmal reagieren Pferde ängstlich auf Hilfen. Sie verspannen sich, etwa weil sie eine Hilfe nicht gut verstehen. Ein angespanntes Pferd kann nicht nachdenken und so auch nichts lernen. Wenn Pferde regelmäßig angespannt sind, führt dies zu chronischem Stress. Solche Risikotiere sind krankheitsanfällig und entwickeln sich nicht gut.

Umgebung

Ängste werden bei Pferden vor allem durch Faktoren in der Umgebung ausgelöst. Sie erschrecken beispielsweise durch einen auffliegenden Fasan, ein vorbeifahrendes Auto, eine Klingel oder einen Schirm. Aufgrund ihres breiten Gesichtsfeldes und spezieller Bewegungssensoren sehen Pferde alles und reagieren stark auf entfernte Objekte, die sich schnell bewegen.

Dem gilt es vorzugreifen. Nehmen Sie bei neuen Situationen ein erfahrenes Pferd mit. Bleiben Sie ruhig und begleiten Sie das Tier, sodass es nicht erschrecken kann. Auf diese Weise lernt es, Ihrem Urteil zu vertrauen.

Durchgegangen

Ein Pferd auf der Flucht sieht nichts mehr, denkt nicht nach und bleibt auch nicht so schnell stehen. Durchbrechen Sie seinen Fluchtdrang, indem Sie es zu einem Richtungswechsel von 180 Grad zwingen und es dann stoppen. Denken Sie dabei vor allem an Ihre eigene Sicherheit. Lassen Sie, wenn nötig, die Zügel los und konzentrieren Sie sich auf einen sicheren Absprung.

KAPITEL 7

Pflege

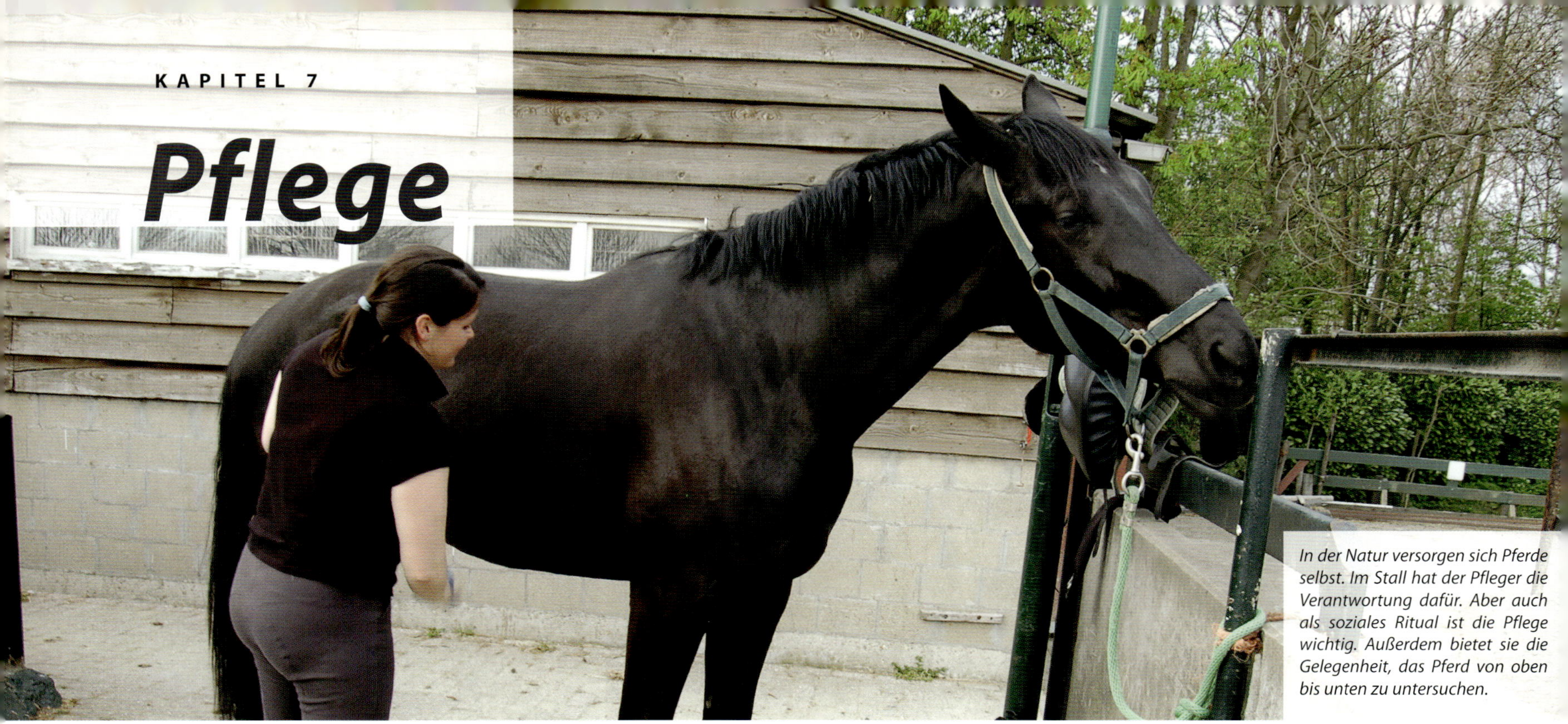

In der Natur versorgen sich Pferde selbst. Im Stall hat der Pfleger die Verantwortung dafür. Aber auch als soziales Ritual ist die Pflege wichtig. Außerdem bietet sie die Gelegenheit, das Pferd von oben bis unten zu untersuchen.

Eine gute Vorbereitung ist die halbe Miete. Bevor Sie auf ein Pferd steigen, sollten herausfinden, wie es sich fühlt und ob es gesund ist. Das Tier muss für die Arbeit mit Ihnen bereit sein und Ihnen folgen. Bei der Pflege haben Sie genügend Zeit, das Pferd darauf einzustimmen.

An heißen Tagen baden auch Pferde gern.

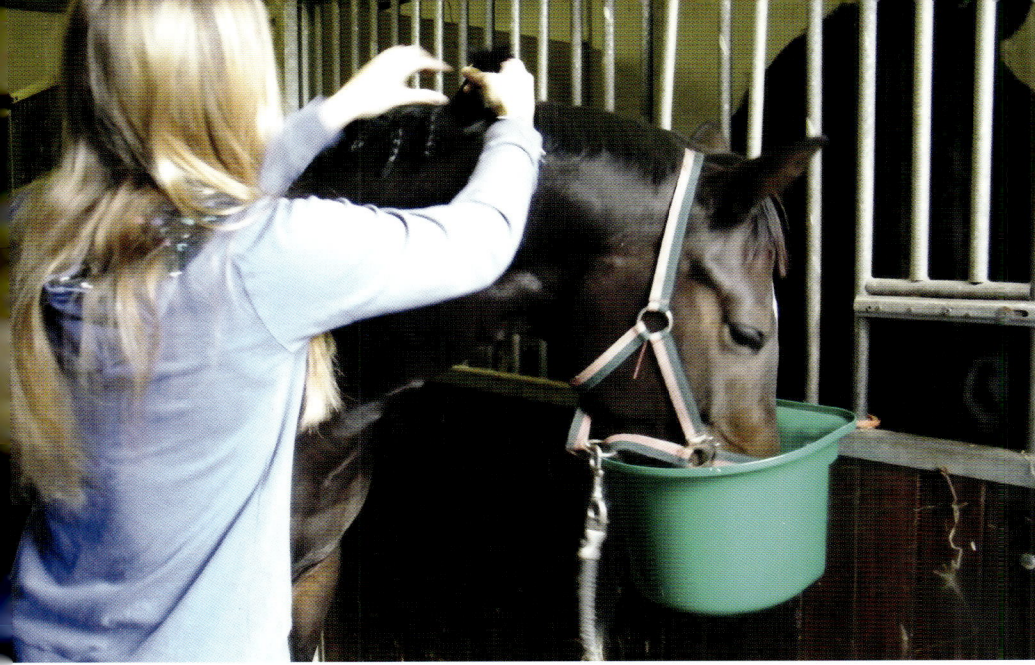

Ein voller Bauch trainiert nicht gern. Das gilt auch für Pferde. Nach der Fütterungszeit sollte das Pferd daher mindestens eine Stunde ruhen können.

Tagesrhythmus

Ruhe und Regelmäßigkeit sind die wichtigsten Faktoren für das Wohlbefinden eines Pferdes. Von sich aus halten die Tiere jeden Tag dieselbe Routine ein. So wird das Leben vorhersehbar und es entsteht weniger Stress. Wenn Sie sich jeden Tag auf dieselbe Weise mit dem Pferd beschäftigen, werden Sie Teil seines Tagesrhythmus. Wenn Sie dagegen zu wechselnden Zeiten kommen, sollten Sie Störungen für das Pferd möglichst begrenzen.

Wie geht es dir?

Pferde haben ein feines Gespür für die Stimmung des Reiters. Sind Sie gestresst, wird auch Ihr Pferd unruhig und schreckhaft. Atmen Sie in diesem Fall tief ein und entspannen Sie sich, bevor Sie zu Ihrem Pferd gehen. So werden Sie ruhig und verhalten sich auch so.

Diese Reiterin ist in Eile. So wird auch das Pferd unruhig und kann sich schlecht auf den Reiter konzentrieren.

TIPPS FÜR MEHR RUHE

- Sorgen Sie dafür, dass Sie genügend Zeit haben. Wenn Ihnen nur eine Stunde bleibt, sollten Sie nicht reiten, sondern lieber mit der Longe arbeiten.
- Machen Sie sich Ihr eigenes Stresslevel bewusst. Versuchen Sie, Ereignisse in der Schule oder am Arbeitsplatz nicht mit in den Stall zu nehmen.
- Ziehen Sie eine imaginäre Linie auf dem Weg zum Stall. Jedes Mal, wenn Sie diese Linie passieren, sollten alle anderen Gedanken von Ihnen abfallen. Die ganze Konzentration gilt jetzt Ihrem Pferd.
- Richten Sie Ihre Aufmerksamkeit auf das Pferd. Stellen Sie den Kontakt her und achten Sie auf jedes Detail.
- Versuchen Sie, bewusst die Führung zu übernehmen, damit Ihr Pferd in Bewegung kommt und sich entspannt.

Der VUFTA-Test

VUFTA steht für: Verhalten, Umgebung, Fressen, Trinken und Alles, was auffällt. Anhand dieser Kriterien können Sie sich täglich einen ersten Eindruck von Ihrem Pferd verschaffen und beurteilen, ob es gesund und in der Lage ist, an diesem Tag mit Ihnen zu arbeiten. Nach einiger Zeit wird diese Beurteilung dann zur Routine. Je früher und deutlicher Abweichungen vom Normalzustand erkannt werden, desto größer ist die Wahrscheinlichkeit, dass erfolgreich gegengesteuert werden kann. Nur wer rechtzeitig Auffälligkeiten erkennt, kann gut verstehen, was los ist. Die Gegenmaßnahmen können vielfältig sein: Longieren statt Reiten, sich vor dem Start mehr Zeit lassen, Anpassung des Trainings, Andere zu Rate ziehen, Anruf beim Tierarzt usw.

Verhalten

Wie steht das Pferd und was macht es? Beurteilen Sie seine mentale Verfassung: Was geht wohl in seinem Kopf vor? Eine abweichende Körperhaltung ist häufig auf Schmerzen zurückzuführen. Versuchen Sie, die Stelle der Schmerzen und die Ursache herauszufinden. Bei einer Kolik (Bauchschmerzen) blickt das Pferd häufig auf seinen Bauch oder die Flanke. Bei Schmerzen in einem Bein oder Huf wird das betreffende Bein nicht belastet. Jedes Pferd reagiert anders auf Schmerzen und auf seine Umgebung. Dabei gibt es große Unterschiede zwischen den Rassen, aber auch zwischen einzelnen Pferden.

Umgebung

Ist der Boden trocken? Ist er eben oder haben die Runden des Pferdes eine tiefe Spur hinterlassen? Frisst das Pferd viel Stroh? Prüfen Sie auch den Kot und achten Sie dabei auf Feuchtigkeitsgehalt, Festigkeit und auffällige Substanzen.

? SUCHBILD *Was sehen Sie?*

Dieses Pferd ist aufmerksam; sein Ohrenspiel ist lebhaft. Wenn Pferde zu aufmerksam oder unruhig sind, drehen sie sich und wiehern.

? SUCHBILD *Ist die Umgebung in Ordnung und alles normal?*

Der Boden ist hier aufgewühlt. Das Pferd ist offenbar viel gelaufen. War es in Panik? Wenn ja, warum? Sind Pferde verletzt oder lahm?

Fressen

Was hat das Pferd gefressen und zu welchem Zeitpunkt? Frisst es alles? Prüfen Sie dies mit einem Blick in den Futtertrog. Kraftfutter sollte eine halbe Stunde nach der Fütterung gefressen worden sein. Liegen dann noch Reste im Trog, stimmt etwas nicht. Manchmal sind Klumpen (Rollen) aus nassem Heu oder nasser Silage im Futtertrog oder daneben zu finden. Diese sind beim Kauen aus dem Maul gefallen und deuten auf Probleme mit den Backenzähnen hin.

Trinken

Prüfen Sie, ob Wasser aus der Tränke kommt, ob das Pferd diese erreichen kann und ob Kot darin liegt. Wenn Sie Zweifel an der Funktion der Tränke haben, geben Sie dem Pferd Wasser und achten Sie darauf, ob es Durst hat.

Alles, was auffällt

Nehmen Sie sich die Zeit, Ihr Pferd und die Umgebung eingehend zu beurteilen. Gibt es noch andere Auffälligkeiten? Vielleicht etwas, das Sie nicht verstehen (eine UVA? – siehe hierzu auch S. 13) Vielleicht liegt ein Stück Plastik von einem angeknabberten Sack im Stall oder Sie bemerken jetzt erst, dass das Pferd die Sehnenschoner vom vorigen Tag noch um hat.

SUCHBILD — **Hat es gefressen?**

Dieser Trog ist leer; nur der Leckstein befindet sich noch darin. Achten Sie auch darauf, ob das Pferd vielleicht zu schnell frisst. In diesem Fall kaut es nicht gut und es besteht die Gefahr, dass es sich verschluckt oder Verstopfungen auftreten. Außerdem wird das Futter schlechter verdaut.

SUCHBILD — **Hat es getrunken?**

Diese Tränke ist trocken und funktioniert nicht mehr. Vor allem an warmen Tagen und wenn das Pferd viel schwitzt ist es wichtig, dass es ausreichend trinken kann.

SUCHBILD — **Fällt noch etwas auf?**

Stroh in der Mähne bedeutet, dass sich das Pferd hingelegt hat. Es fühlt sich also sicher in der Box, oder aber es leidet an einer Kolik.

Wenn Sie Zweifel hinsichtlich des Zustands Ihres Pferdes haben, messen Sie den Puls (Herzschlag), die Atmungsgeschwindigkeit und die Körpertemperatur. Sind diese normal, ist keine Eile geboten und Sie können noch abwarten. Ergeben sich dabei Auffälligkeiten, ziehen Sie andere Personen zu Rate oder kontaktieren Sie Ihren Tierarzt.

WAS TUN BEI ZWEIFELN		
AUFFÄLLIGKEIT	**WIE WIRD GEMESSEN?**	**IN RUHE**
Atmung	Bewegungen von Rippen und Bauch beobachten	8-14 Mal pro Minute
Puls	Fühlen am Kiefer, Abhören mit Stethoskop, Herzschlagmesser	28-40 Schläge pro Minute
Temperatur	Thermometer im After	37,4 °C-38,0 °C

Putzen

Durch tägliches Putzen bleibt das Pferd sauber und sein Fell wird gepflegt. Außerdem entspannt sich das Tier beim Putzen und es kann sich mental darauf vorbereiten, Ihnen zu folgen. Sie selbst können dabei Informationen über den Gesundheitszustand des Pferdes erhalten. Notieren Sie sich diese eventuell, damit Sie die Entwicklungen über längere Zeit hin verfolgen können.

Wichtige Elemente eines Gesundheitschecks sind der Kopf, die Haut, der Schweif und die Mähne, die Beine und die Füße. Wenn Sie beim Putzen jedes Mal auf dieselbe Weise vorgehen, weiß das Pferd genau, was auf es zukommt. Es ist dann ruhiger und sein Verhalten ist besser vorhersehbar.

Muskeln

Ein Striegel entspannt das Pferd und stimuliert die Durchblutung der Haut. Steife oder schmerzende Muskeln fallen dann auf, weil das Pferd beim Striegeln verkrampft oder ausweicht. Mit den Händen können Sie ertasten, wo sich die schmerzenden Stellen befinden.

PUTZROUTINE		
Schritt 1:	Gummistriegel	für die Muskeln
Schritt 2:	Nadelstriegel	für das Fell
Schritt 3:	Kardätsche	für Kopf und Beine
Schritt 4:	Schweif- und Mähnenbürste	für Schweif und Mähne
Schritt 5:	Hufkratzer	für die Hufe

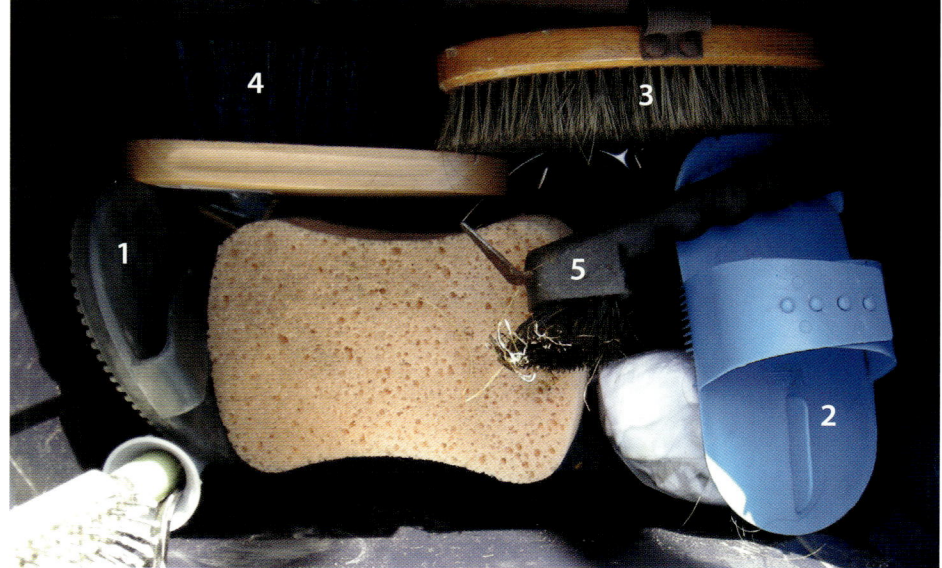

MUSKELPROBLEME

Steife und schmerzende Muskeln können durch schlecht strukturiertes, einseitiges oder zu intensives Training oder ein schlechtes Trockenreiten entstehen. In solchen Fällen empfiehlt sich eine längere Lösungsphase, ein ausgewogenes Trainingsprogramm und eventuell ein Tag mit freier Bewegung.

Muskelschmerzen im Rücken können auch durch einen schlecht sitzenden Sattel verursacht werden. Wenn bei Ihrem Pferd häufiger steife oder schmerzende Muskeln auftreten, sollten Sie es von einem Tierarzt untersuchen lassen. Dieser kann möglicherweise noch weitere Ursachen ermitteln, etwa einen Nährstoffmangel oder Muskelkrankheiten.

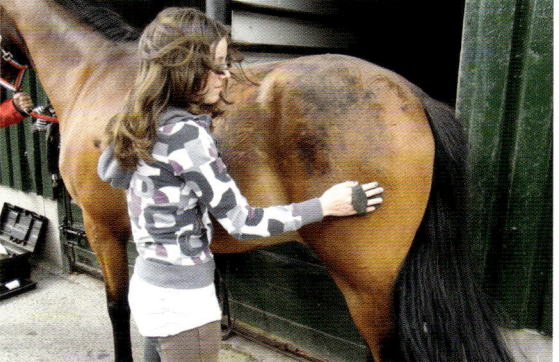

Mit dem Gummistriegel werden grober Schmutz und lose Haare entfernt. Außerdem wird damit vor allem die Haut leicht massiert.

EIN SAUBERER START

Ein sauberes Fell:
- juckt weniger,
- scheuert nicht unter Riemen oder unter dem Sattel,
- isoliert besser und das Pferd kühlt langsamer aus,
- verbessert die Widerstandskraft gegen Hautentzündungen.

Damit Hautschimmel und Bakterien sich nicht ausbreiten, benötigt jedes Pferd sein eigenes Putzzeug.

Gummistriegel

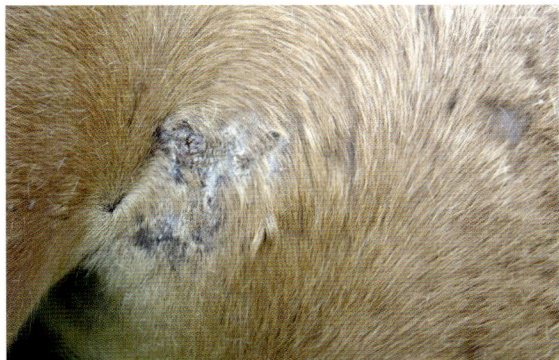

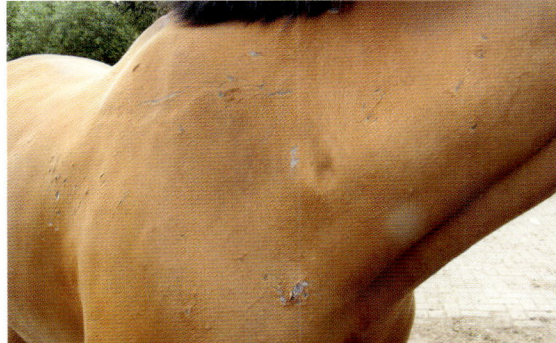

Kleine Wunden wie diese sind grundsätzlich kein Anlass zur Sorge. Sie entstehen durch normale soziale Verhaltensweisen auf der Weide und in Gruppenställen. Solches Verhalten erhöht das Wohlbefinden, denn Pferde sind soziale Tiere. Spielen und Unterstreichen der Dominanz gehören einfach dazu. Allerdings müssen rangniedere Pferde genügend Fluchtraum haben. Wird ein bestimmtes Pferd häufiger unterdrückt, sollten Sie die Zusammensetzung der Gruppe kritisch prüfen. Ist die Rangordnung stabil? Sind die Probleme auf ein oder zwei bestimmte Pferde begrenzt? Ziehen Sie eventuell einen Verhaltensspezialisten zu Rate. Bei der Stelle am Hals handelt es sich um die Narbe einer Wunde oder von einer Impfung.

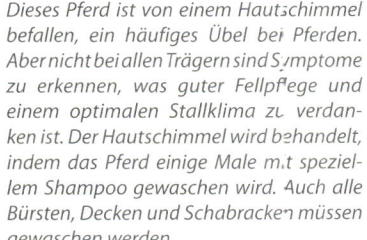

Dieses Pferd ist von einem Hautschimmel befallen, ein häufiges Übel bei Pferden. Aber nicht bei allen Trägern sind Symptome zu erkennen, was guter Fellpflege und einem optimalen Stallklima zu verdanken ist. Der Hautschimmel wird behandelt, indem das Pferd einige Male mit speziellem Shampoo gewaschen wird. Auch alle Bürsten, Decken und Schabracken müssen gewaschen werden.

Putzplatz

Wählen Sie zum Putzen einen ausreichend großen und sicheren Platz. Da dabei viel Staub aufgewirbelt wird, sollte am besten außerhalb der Box geputzt werden.

Das Fell

Mit dem Nadelstriegel werden Sand, lose Haare, Kot und trockener Schweiß aus dem Fell entfernt. Das ist vor allem dort wichtig, wo Sattel und Zaumzeug auf die Haut drücken, etwa auf dem Rücken und am Bauch, wo der Gurt verläuft.

Beim Bürsten versucht das Pferd, freundschaftlich zu knabbern – an einem Pfahl, am Strick oder auch an Ihnen. Dieses Verhalten der sozialen Fellpflege ist auch bei Pferden untereinander zu beobachten.

83

Kopf und Beine

Die Kardätsche wird in der letzten Phase der Fellpflege verwendet. Damit entfernen Sie den letzten Schmutz und das Fell wird glänzend. Sie eignet sich auch für die empfindliche Haut an Kopf und Beinen.

Beine

Die Beine eines Pferdes sind anfällig für Verletzungen. Achten Sie beim Putzen auf Feuchtigkeitsansammlungen, Schwellungen, Wunden oder Verkrustungen. Die Beine müssen vollständig „trocken" sein. Es dürfen also unter der Haut und bei Gelenken und Sehnen keine Flüssigkeitsstaus oder dicken Stellen zu fühlen sein.

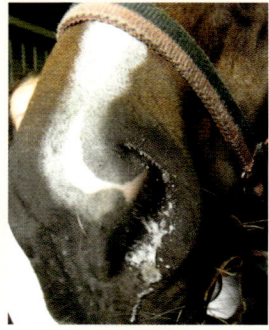
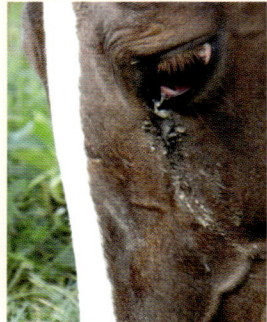
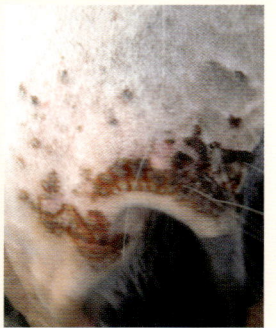

Eine so triefende Nase hat keine Bedeutung. Der Ausfluss ist weiß und die Körpertemperatur des Pferdes ist nicht erhöht. Außerdem ist das Tier gesund und frisst gut. Es sollte allerdings beobachtet werden. Notieren Sie in den folgenden Tagen die Temperatur und achten Sie auf weitere Veränderungen wie Farbe und Geruch des Nasensekrets und darauf, ob es aus einer oder beiden Nüstern austritt. Bei länger als zwei Tage anhaltendem Fieber oder anderen Veränderungen, ziehen Sie einen Tierarzt zu Rate.

Dieses Auge ist feucht, rot, geschwollen und es tritt grüner Eiter aus. Es liegt eine Entzündung vor. Ursache: Fliegen, die sich von Schleimhäuten ernähren. Ein entzündetes Auge stört und ist meist auch mit Schmerzen verbunden. Fragen Sie den Tierarzt nach der richtigen Behandlung. Auf jeden Fall sollten Sie mit einem Fliegennetz oder einer Fliegenhaube dafür sorgen, dass das Auge nicht zusätzlich durch Fliegen gereizt wird. Reinigen Sie auch die Haut, um Hautreizungen zu verhindern.

Auf der Nase sind Krusten von verbrannter Haut. Vor allem weiße Nasen sind anfällig für Sonnenbrand. Durch Giftstoffe aus Pflanzen im Futter oder infolge von Leberstörungen wird die Haut noch empfindlicher gegen Sonnenlicht und es können schwere Verbrennungen entstehen. Lassen Sie dies von einem Tierarzt untersuchen und schützen Sie die Nase vor Sonnenlicht.

Wenn in den Beinen Ihres Pferdes eine Schwellung zu sehen oder zu fühlen ist, beantworten Sie die folgenden drei Fragen und konsultieren Sie den Tierarzt.
1. Ist die Schwellung weich oder hart?
2. Ist die Schwellung warm oder kalt?
3. Lahmt das Pferd?

? Ist dieses Bein gesund?

SUCHBILD

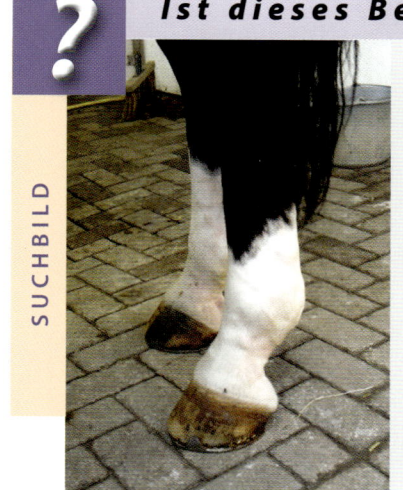

Was sehen Sie? Alle Beine des Pferdes sind ab dem Kronenrand ringsum geschwollen. Sie fühlen sich kalt und steif an. Nach einer Viertelstunde im Schritt werden die Beine wieder dünner. Woran liegt das? Die Durchblutung und die Flüssigkeitsableitung in den Beinen hängen mit der Bewegung zusammen. Steht ein Pferd still, wird das Bein weniger gut durchblutet und es kann sich Flüssigkeit anstauen. Auch die Zufuhr von Nährstoffen und der Abtransport von Schadstoffen von und zu Gewebebereichen unten im Bein verlaufen schlechter. Was ist zu tun? Die Verletzungsgefahr ist bei diesem Pferd groß. Sorgen Sie für mehr Bewegung, wenn möglich über den Tag verteilt. So bekommt das Tier wieder starke und gesunde Beine und das Verletzungsrisiko sinkt.

? An welchem Bein lahmt dieses Pferd?

Das Pferd scheint auf das gesunde Vorder- oder Hinterbein zu „fallen." Vorderbein: Der Kopf bewegt sich nach oben, wenn das Pferd auf dem schmerzenden Bein steht, und senkt sich nach unten, wenn das gesunde Bein belastet wird. Hinterbein: Der Kopf senkt sich nach unten, wenn das Pferd auf dem schmerzenden Bein steht, und bewegt sich nach oben, wenn das gesunde Bein belastet wird.

- **Belastungslahmheit:** Bewegungen schmerzen nicht, dafür aber das Stehen. Das Pferd setzt das Bein genauso weit nach vorn wie immer, macht aber einen kurzen Schritt nach hinten. Ursache: Schmerzen in den Knochen, den Gelenken oder im Huf.
- **Bewegungslahmheit:** Bewegungen schmerzen, das Stehen hingegen nicht. Das Pferd macht einen normalen Schritt nach hinten, aber kürzere Schritte nach vorn. Ursache: Schmerzen in Muskeln oder Sehnen.

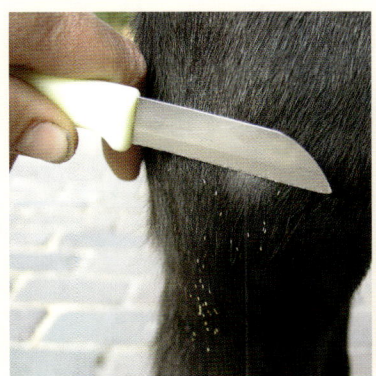

Diese gelben Punkte auf den Beinen eines Pferdes sind Eier der Magenbremse, einer Fliege mit parasitären Larven. Pferde lecken die Eier auf und schlucken sie. Im Magen schlüpfen die Larven und heften sich an die Magenwand. Die Puppen gelangen über den Kot auf die Wiese und entwickeln sich dort zu neuen Bremsen. Entfernen Sie die Eier mit einem Messer und sprechen Sie mit dem Tierarzt über geeignete Gegenmaßnahmen.

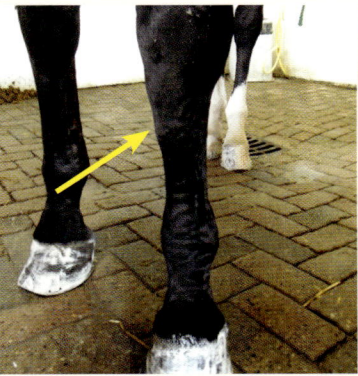

Bei diesem Überbein handelt es sich um eine Knochenhautverletzung am Röhrbein. Sie entsteht durch Anschlagen des anderen Beins oder eine andere Einwirkung von außen. Durch Gamaschen lässt sich das verhindern. Anfangs ist die Stelle weich, geschwollen und warm. Später wird sie durch die Knochenwucherung hart. Manchmal wird auch die anliegende Sehne gereizt und das Pferd lahmt. Konsultieren Sie Ihren Tierarzt.

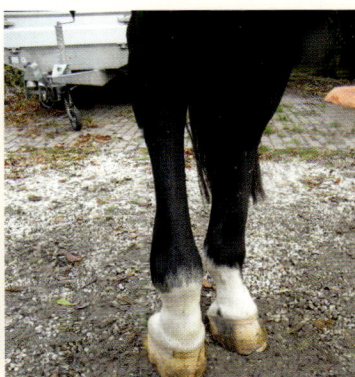

Flüssigkeitsstaus unter der Haut unten an den Beinen werden Stallbeine genannt. Sie entstehen durch eine unzureichende Ableitung über die Lymphgefäße. Durch Bewegung verschwindet die Feuchtigkeit schnell. Eine etwas weniger wirksame Alternative ist ein 10minütiges Abspritzen mit kaltem Wasser.

Blutergüsse entstehen durch Traumata und gehen mit einer Gewebeverletzung und Schmerzen einher. Die Schwellung tritt nur an einer Stelle auf, hier an der Fessel infolge einer Verdrehung oder eines Schlags.

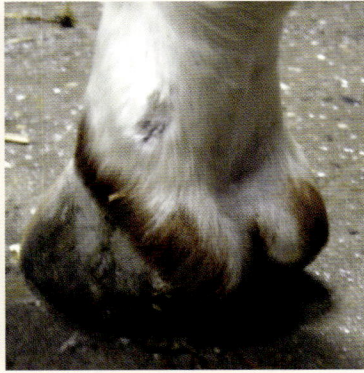

Dieses Pferd leidet an Mauke, einer krustigen oder nässenden Hautentzündung in der Fesselbeuge. Die Ursache ist Feuchtigkeit in Verbindung mit Hautreizungen durch Sand. In der Folge können dann Bakterien und Schimmelpilze den Zustand verschlimmern. Bei Pferden mit langem Haar bzw. weißer Haut in der Fesselbeuge ist das Risiko größer. Entfernen Sie die Krusten und waschen Sie den Fuß 2 Mal täglich mit speziellem Shampoo oder verwenden Sie eine Maukesalbe. Das Bein muss sauber und trocken gehalten werden. Ziehen Sie auch Ihren Tierarzt zu Rate. Eine Lahmheit tritt nur in schweren Fällen auf.

HUFE AUSKRATZEN

Bevor Sie mit dem Pferd arbeiten, müssen TÄGLICH die Hufe ausgekratzt werden. Vergewissern Sie sich anschließend, dass keine Steinchen oder harte Gegenstände eingeklemmt sind, und dass Huf, Hufhaut, Sohle und Strahl vollständig gesund sind. Achten Sie dabei auf Folgendes:

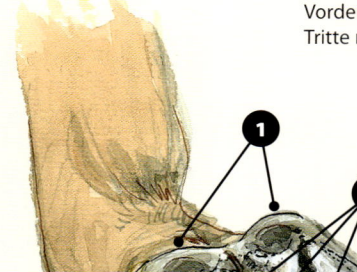

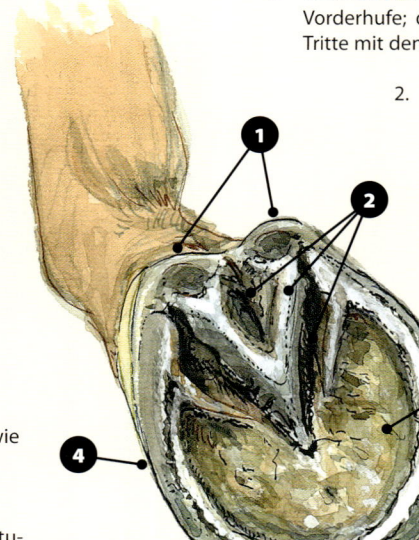

4. Hufwand: Beschädigungen wie abgebrochene Stücke oder Risse

5. Stand der Hufe und eventuell Zustand der Hufeisen: Ist es Zeit für einen Besuch des Hufschmids?

1. Hautverletzungen im Bereich der Ballen der Vorderhufe; diese entstehen in der Regel durch Tritte mit den Hinterhufen.

2. Strahl und Strahlfurchen: Diese müssen intakt, sauber und trocken sein. Achten Sie vor allem auf Steinchen und spitze Gegenstände sowie auf eventuellen Gestank (Strahlfäule). Der Hufstrahl ist empfindlich. Kratzen Sie daher vorsichtig oder verwenden Sie eine Bürste.

3. Sohle: Diese muss flach und frei von Beschädigungen sein.

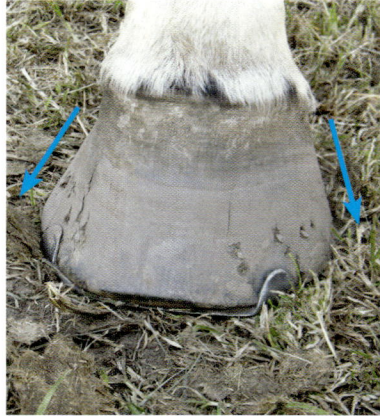

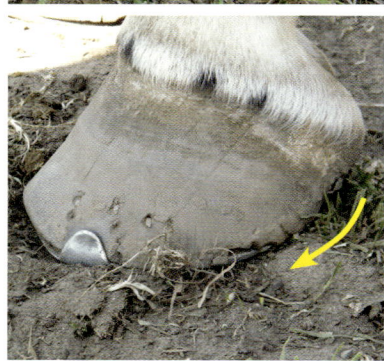

Mit einem Hufeisen ist der Abrieb geringer und der Huf wird immer länger. Auf dem Foto wächst die Seitenwand nach außen (blaue Pfeile) und die langen Trachtenwände bis unter den Huf (gelber Pfeil). Dadurch lastet zu viel Gewicht auf der Sohle und dem Strahl und zu wenig auf der Seitenwand. Da der Huf gewissermaßen nach hinten hängt, werden auch die Sehnen stärker belastet. Das Eisen ist bereits recht dünn und der Huf wächst darüber hinaus. Die Nägel verschieben sich nach unten. Vermutlich wird sich das Eisen demnächst lösen. Es sollte so schnell wie möglich ersetzt und der Huf ausgeschnitten werden. Ein Hufeisenwechsel ist im Durchschnitt alle 7 bis 8 Wochen notwendig.

Sehen Sie die Unterschiede?

SUCHBILD

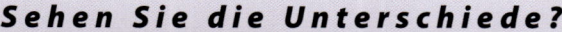

Was sehen Sie? Auf dem linken Foto ist die Trachtenwand länger nach unten verschoben (schräg nach vorn gewachsen). Die Zehenwand ist länger und am Rand brüchig. Die Seitenwand wächst nach außen und macht den Fuß flacher. Woran liegt das? Hufe wachsen kontinuierlich. Der Hufstand wird weniger steil und die Sehnen sind stärker belastet. Deshalb müssen Hufe regelmäßig ausgeschnitten werden. Was ist zu tun? Der rechte Huf ist gerade ausgeschnitten worden. Beim linken Huf ist eine Behandlung durch einen Hufschmied erforderlich. Im Durchschnitt müssen Hufe alle 10 Wochen ausgeschnitten werden.

Die Hufe

Die Hufe bilden im wahrsten Sinne des Wortes die Grundlage für das Pferd und sind für die Bewegung und die sportlichen Leistungen enorm wichtig. Hufsignale vermitteln auch Erkenntnisse über den Gesundheitszustand des Pferdes.

HUFSIGNALE

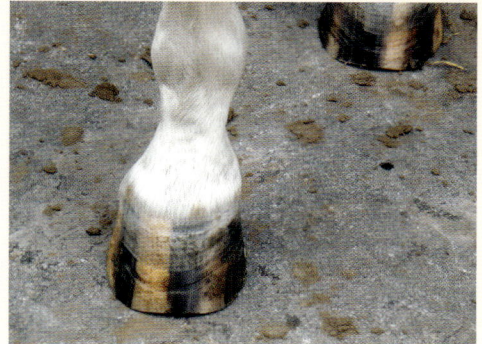

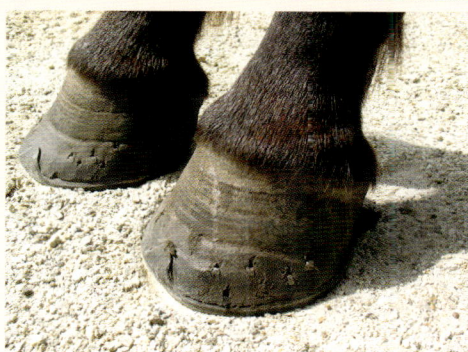

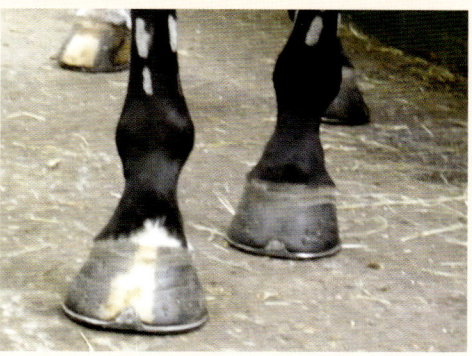

Dieses Pferd läuft regelmäßig auf hartem Boden, wodurch sich die Hufe, vor allem an der Vorderseite, schnell abnutzen. Ein Hufeisen bietet Schutz. Häufig reichen schon Vordereisen, da die Hinterhufe weniger stark belastet werden.

Wachstumsringe entstehen, wenn die Hornbildung beeinträchtigt ist, etwa bei Futterveränderungen, Krankheiten oder Verdauungsstörungen. Futterzusätze wie Biotin können die Hufqualität verbessern. Schwarze Hufe sind in der Regel härter als weiße.

Bei ungleichen Hufen besteht ein erhöhtes Verletzungsrisiko. Häufig entstehen sie bereits in jungem Alter. Daher sollten die Hufe von Fohlen und jungen Pferden monatlich kontrolliert werden. Im Zweifel sollte ein Hufschmied den Hufstand überprüfen und erforderlichenfalls eingreifen.

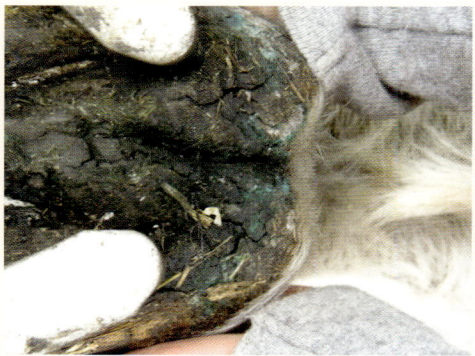

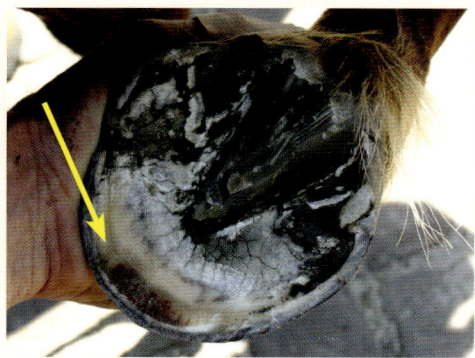

Bei Trockenheit können auch die Hufe austrocknen. Das Horn kann abbröckeln und kleine Risse bekommen. Beobachten Sie diese Risse gut. Wenn sie größer werden, sollte ein Hufschmied zu Rate gezogen werden. Um die Hufe feucht zu halten, empfiehlt sich ein Schlammloch auf der Weide oder ein tägliches 10minütiges Fußbad. Fett bewirkt, dass die Feuchtigkeit im Huf bleibt, funktioniert also nur bei Hufen, die noch nicht ausgetrocknet sind.

Diese Strahlfurchen sind im Inneren feucht. Außerdem sind sie mit Krusten bedeckt und stinken. Dieses Pferd leidet an Strahlfäule. Die Krankheit verursacht Schmerzen und in der Regel auch Lahmheit. Strahlfäule entsteht bei nassem und schmutzigem Boden, durch mangelhaftes Auskratzen der Hufe und bei zu wenig Bewegung. Stellen Sie das Pferd auf eine trockene Weide oder in einen trockenen Stall, reinigen Sie den Hufstrahl 3 Mal täglich und reiben Sie ihn nach Rücksprache mit dem Tierarzt oder Hufschmied mit einem geeigneten Mittel ein.

Diese Blutung in der weißen Linie ist entstanden, weil die Anbindung der Hufkapsel an das Hufbein beeinträchtigt ist, und durch die Belastung mit dem Gewicht des Pferdes. Dieses Pferd leidet an Hufrehe.

Schönheitspflege

Das Putzen dient dazu, Schmutz und Haare zu entfernen, aber auch der Schönheitspflege. Dabei lassen wir uns oft von menschlichen Schönheitsidealen leiten, aber diese decken sich nicht unbedingt mit dem, was gut für das Pferd ist. Haare haben für das Pferd häufig eine wichtige Funktion. Sie sollten daher nur abgeschnitten werden, wenn es wirklich nötig ist. Denken Sie dabei immer an die möglichen negativen Folgen.

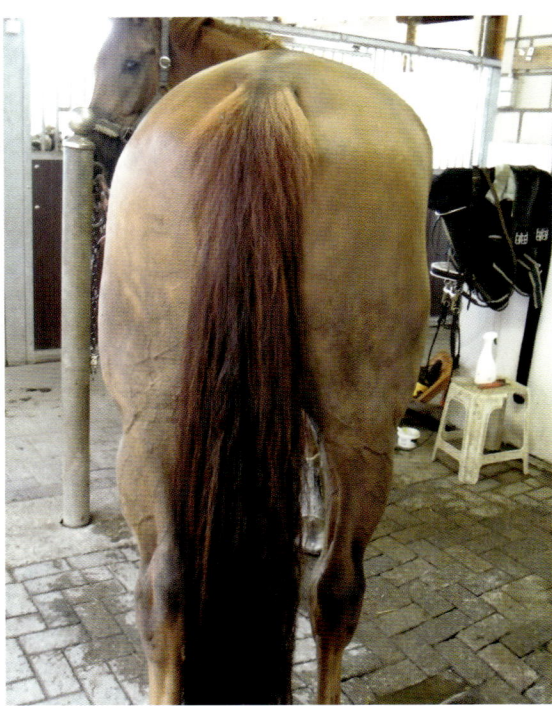

Die oberen Schweifhaare schützen das After und die Scheide gegen Witterungseinflüsse und Scheuern. Bei Stuten mit weniger Schweifhaaren treten häufiger Scheideninfektionen auf. Scheren Sie daher die Schweifseiten nicht, sondern flechten Sie lieber den oberen Teil ein. Der Effekt ist derselbe.

Haare in den Ohren halten Insekten, Schmutz und Feuchtigkeit fern. Rasieren Sie daher die Ohren nicht innen, sondern entfernen Sie höchstens hervorstehende Haare. Wenn Schmutz in die Ohren gelangt, können Reizungen und Entzündungen entstehen. Das Pferd schüttelt dann mit dem Kopf.

? **Was ist schön?**

SUCHBILD

Was sehen Sie? Dieses Minipferd hat keine Haare mehr an Augen, Ohren, Nase und Fesseln und das Fell wurde geschoren. Um dem Gesicht mehr „Ausdruck" zu verleihen, wurden Augen und Nase schwarz geölt. Die Mähne wurde zur Hälfte entfernt, der Rest mit Haarlack modelliert.
Der Grund? Das Pferd wurde für eine Körung vorbereitet, bei der nach menschlichen Schönheitsidealen beurteilt wird.

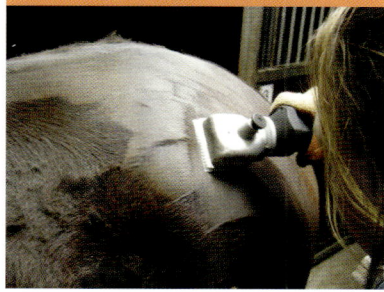

Scheren Sie ein Pferd nach Möglichkeit nicht komplett. Bauch und Hals reichen in der Regel aus, um genügend Wärme abgeben zu können.

Ohne Fell sind Pferde viel anfälliger für Atemwegserkrankungen und frieren schneller. Dies muss beim Reiten berücksichtigt werden. Sorgen Sie für eine geeignete Decke, damit das Pferd nicht auskühlt.

Friert mein Pferd?

Pferde frieren nicht leicht. Bei normaler Ernährung liegt ihre sogenannte thermoneutrale Zone zwischen –5 und +25 Grad. In diesem Temperaturbereich ist das Tier in der Lage, seine Körpertemperatur beizubehalten. Denken Sie daran, dass Menschen viel schneller frieren als Pferde. Geben Sie dem Tier aber ein paar Tage Zeit, sich an Kälte zu gewöhnen. Vermeiden Sie plötzliche starke Abkühlungen, Zugluft und stickige Räume.

Weniger Fell durch Decken

Pferde, die im Winter weiter trainiert werden, brauchen kein dickes Fell. Sie können dann die Körperwärme schlechter abgeben und schwitzen schneller und mehr. Außerdem lässt die Ausdauer nach und sie trocknen langsam. Es kann daher bei Sportpferden sinnvoll sein, das Fellwachstum durch Decken zu reduzieren oder das Pferd zu scheren.

Warm oder kalt bleiben

Pferde regulieren ihre Körpertemperatur auf unterschiedliche Weise.

Schutz suchen:
- Hinterhand in den Wind stellen
- Unterstand aufsuchen
- Schatten aufsuchen

Erwärmen:
- Haare aufstellen
- Zittern und Bewegung
- weniger Durchblutung in Beinen, Schweif und Ohren

Langfristig:
- dickeres Fell
- mehr Energieverbrennung, also mehr fressen

Kühlen:
- Schwitzen
- schnellere Atmung

Langfristig:
- effektiveres Schwitzen

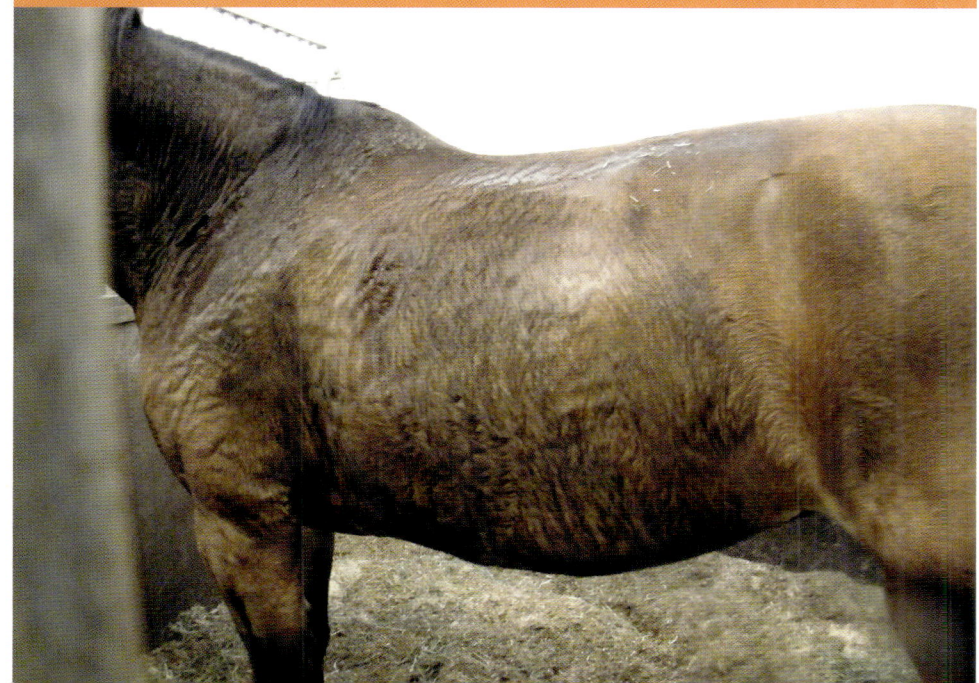

Steht ein Pferd verschwitzt im Stall, ist es anfälliger für Atemwegserkrankungen, beispielsweise Husten. Die aneinander klebenden Haare isolieren schlechter und es friert. Stellen Sie ein nasses Pferd also nicht in den Stall, sondern sorgen Sie für Bewegung, bis es trocken ist, und bürsten Sie Schweiß und festklebende Haare aus. Als Alternative können Sie auch eine Abschwitzdecke benutzen, das Pferd mit Stroh trocken reiben oder es unter ein Solarium stellen. Auf keinen Fall sollten Sie einem verschwitzen Pferd die Stalldecke überwerfen, denn diese wird nass und das Pferd kann sich nicht mehr warm halten.

Schweif und Mähne

Kämmen Sie Schweif und Mähne mit einem Kamm oder einer Bürste mit langen, flexiblen Borsten. Verwenden Sie dabei ein Schweif- und Mähnenspray, damit das Haar leichter kämmbar ist. Verfilztes Haar verschmutzt schneller. Eine gekämmte Mähne juckt auch weniger.

Signale kombinieren

Beurteilen Sie alle Bereiche und Signale Ihres Pferdes gemeinsam. Denken Sie nach, ziehen Sie Vergleiche mit anderen Pferden und achten Sie auch auf die zeitliche Entwicklung. Wer all das bewusst tut, nimmt immer mehr wahr und kann auch bessere Entscheidungen treffen.

Sie müssen außerdem wissen, in welchen Fällen und Situationen ein Tierarzt oder Hufschmied zu Rate gezogen werden muss. Halten Sie sich daran. Bei der Festlegung und Änderung von Richtlinien sollten Sie sich mit Fachleuten absprechen.

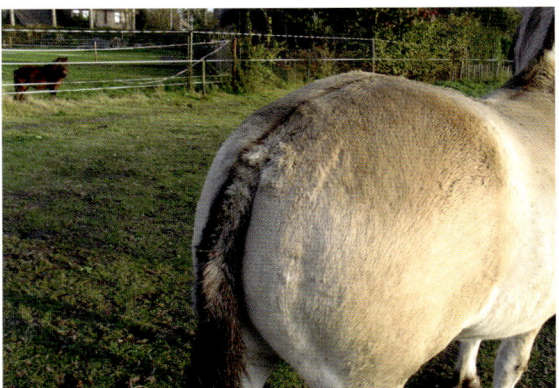

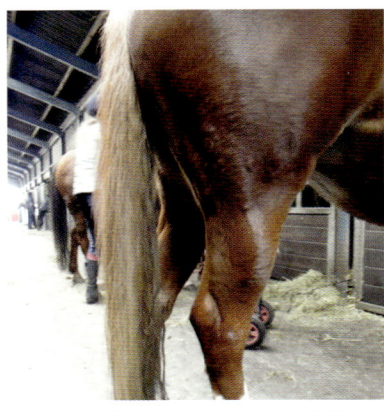

Schweif- und Mähnenekzeme entstehen durch Juckreiz infolge aller- gischer Reaktionen auf Stiche von Kriebelmücken oder Gnitzen und treten in unterschiedlicher Ausprägung auf.
Manchmal scheuert das betroffene Pferd einen Teil der Mähne und des Schweifhaars ab. Einige Pferde scheuern, bis sie bluten und keine Haare mehr vorhanden sind, je nachdem, wie stark die Allergie ist. Manche Tiere haben schon bei einem einzigen Gnitzenstich starken Juckreiz.
Verhindern lassen sich solche Stiche, indem das Pferd vor der Dämmerung in den Stall geholt wird. Auch Insektenschutzmittel und Ekzemdecken sind geeignet. Bei starkem Ausschlag kann das Schweif- und das Mähnenhaar entfernt werden. Waschen Sie die entzündete Haut mit Desinfektionsshampoo und behandeln Sie die Stellen mit entzündungshemmender Salbe.

Auf Schweif, Sprunggelenken und Hinter- backen sind Reste von dünnem Kot zu sehen. Dieses Pony hat Durchfall.
Achten Sie auf weitere Krankheitssignale, etwa Trägheit, Fieber und Austrocknung. Gönnen Sie dem Tier in jedem Fall einen Tag Ruhe und überprüfen Sie, was es gefressen hat. Ziehen Sie im Zweifel den Tierarzt zu Rate.

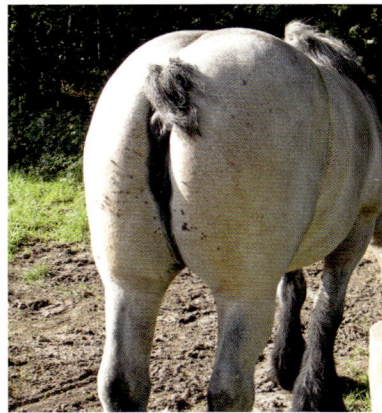

Das Kupieren der Schweifrübe gilt als Tierquälerei und ist daher verboten. Ohne Schweif kann ein Pferd keine Fliegen vertrei- ben, weniger soziale Signale aussenden und bei Stuten ist die Vulva unbedeckt. Früher war es weit verbreitet, denn die Arbeitspferde waren den ganzen Tag vor den Wagen gespannt und so konnten sich die Zügel nicht im Schweif verfangen und es blieb kein dünner Kot darin hängen.

Dieses Pferd achtet nicht auf seine Umgebung. Es ist träge und nur mit sich selbst beschäftigt. Das Fell ist nass, weil es sich auf dem Boden gewälzt, geschwitzt und mit den Vorderbeinen in Pfützen geschart hat. Der Kot ist dünn. Offenbar hat es heftige Bauchschmerzen (Kolik). Informieren Sie in so einem Fall unverzüglich den Tierarzt.

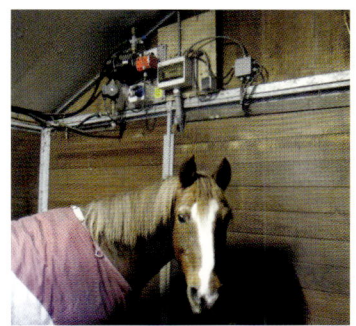

Stromanschlüsse in Reichweite eines Pferdes sind eine Gefahr. Sie müssen entfernt oder abgedeckt werden, damit das Pferd sie nicht beschädigen kann.

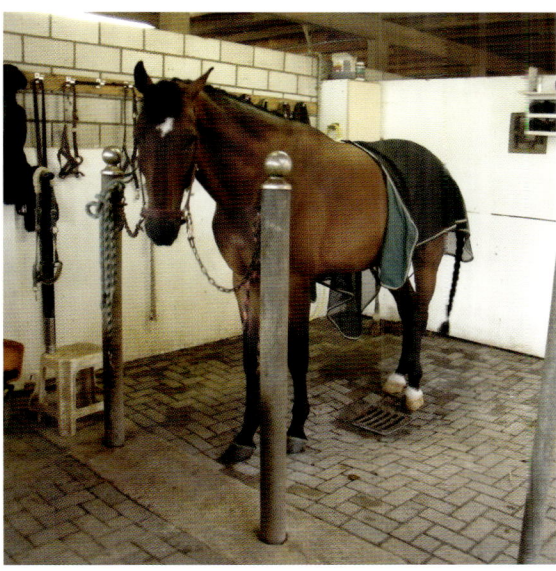

Ein sicherer Anbindeplatz muss geräumig sein, damit Sie nicht zwischen Pferd und Wand eingeklemmt werden. Hier ist alles übersichtlich und aufgeräumt und es gibt keine Ecken und Kanten, an denen das Pferd sich verletzen kann, wenn es erschrickt. Nach Möglichkeit sollten zwei Befestigungsstellen mit Sicherheitsverschlüssen vorhanden sein, damit das Pferd sich nicht drehen und losreißen kann, wenn es in Panik gerät. Der Boden muss griffig (trocken) sein, damit kein Ausrutschen möglich ist.

Wer in Eile ist, vernachlässigt leicht das Aufräumen. Denken Sie aber daran, dass das Pferd sich dann verletzen kann, und irgendwann muss doch aufgeräumt werden. Erledigen Sie es also lieber gleich.

Sicherheit

Der Stall und das Gelände müssen übersichtlich, geradlinig und geräumig sein. So fühlt sich das Pferd sicher. Pferde sind Fluchttiere und im Stall sind sie in kleinen Räumen eingeschlossen. Sie erschrecken leicht und verursachen Unfälle. Schmale Durchgänge, hervorstehende Gegenstände und glatte Böden sind eine Gefahr.

Bei einer übersichtlichen Gestaltung des Geländes, einer ruhigen Annäherung und einem regelmäßigen Stallrhythmus ist für das Pferd alles besser vorhersehbar. So entsteht weniger Stress und Ihr Pferd bleibt ruhig. Probleme können trotzdem immer auftreten. Bleiben Sie also wachsam und sorgen Sie dafür, dass Sie immer schnell und angemessen eingreifen können.

SUCHBILD

Ist diese Umgebung sicher?

Was sehen Sie? Die Zinken der Mistgabel weisen nach innen. So sollte es sein, denn man weiß nie, wann ein Pferd sich losreißt und über den Gang rennt. Der Boden ist aus glattem Beton, auf dem ein Pferd leicht ausrutschen kann, vor allem mit Hufeisen. Der Gang ist schmal; es besteht Einklemmgefahr. Auch der Ausgang aus dem Stall ist recht schmal. Dort kann leicht eine Hüfte eingeklemmt werden.

ZAHNALTERBESTIMMUNG

Pferde haben 12 Schneidezähne und 24 Backenzähne, Wallache und Hengste darüber hinaus in der Regel 4 Hakenzähne. Die eine Hälfte der Zähne befindet sich im Unter-, die andere im Oberkiefer. Die Hakenzähne befinden sich im Zwischenraum zwischen den Backen- und den Schneidezähnen. Die Zähne wachsen das ganze Leben lang.

Alter anhand der Unterkieferzähne bestimmen (ungefähre Werte):

0-2 Jahre: Fohlengebiss

2,5 Jahre: mittlere Schneidezähne wechseln

3,5 Jahre: zweite Schneidezähne (von der Mitte aus gesehen, links + rechts) wechseln

4,5 Jahre: dritte Schneidezähne (ganz außen, links + rechts) wechseln

6 Jahre: Kunde in den mittleren Schneidezähnen abgerieben (kein Reiskorn passt mehr hinein)

7 Jahre: Kunde in zweiten Schneidezähnen abgerieben (wie oben)

8 Jahre: Kunde in äußeren Schneidezähnen abgerieben (wie oben)

Nach 8 Jahren wird die Altersbestimmung weniger genau. Beurteilen Sie jetzt auch die Zähne im Oberkiefer.

9 Jahre: mittlere Schneidezähne runden sich, Kunde in mittleren Schneidezähnen oben abgerieben

10 Jahre: zweite Schneidezähne runden sich, Kunde in zweiten Schneidezähnen oben abgerieben

12 Jahre: dritte Schneidezähne runden sich, Kunde in dritten Schneidezähnen oben abgerieben

14 Jahre: Kunden bis auf die Kundenspur bei allen Zähnen abgerieben

In diesem Stadium kann das Alter nicht mehr auf ein Jahr genau geschätzt werden.

16 Jahre: die inneren Zähne erhalten allmählich eine dreieckige Form, die anderen Zähne folgen in den nächsten Jahren

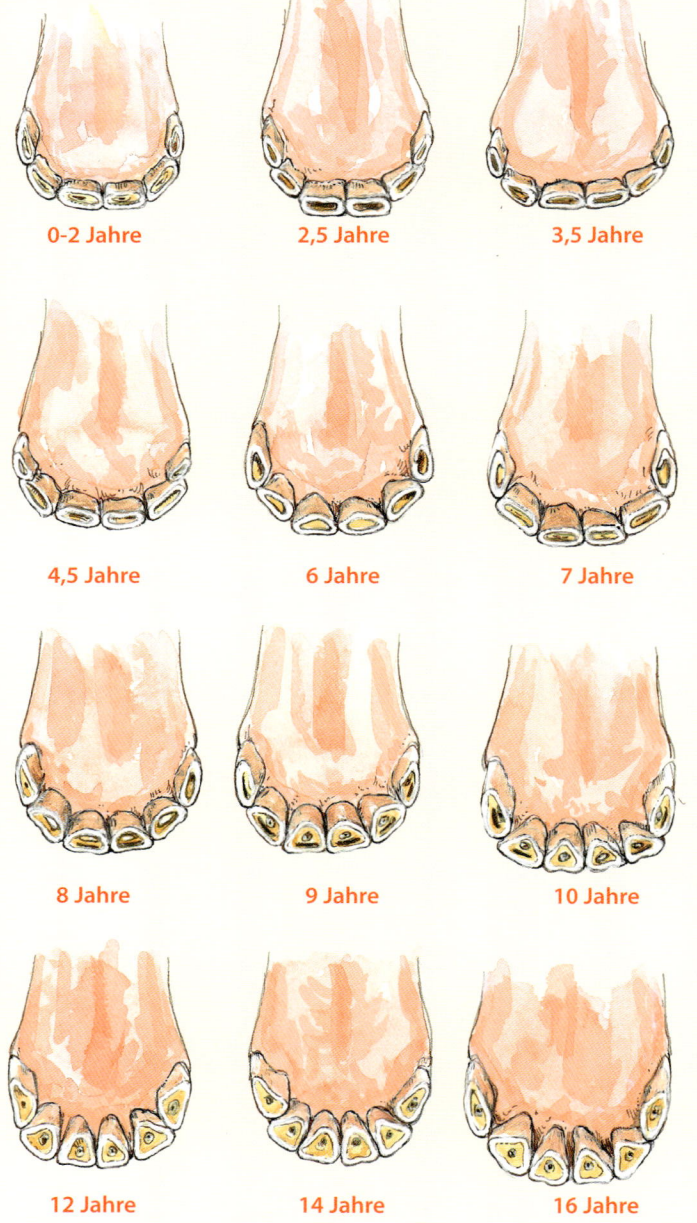

0-2 Jahre   2,5 Jahre   3,5 Jahre

4,5 Jahre   6 Jahre   7 Jahre

8 Jahre   9 Jahre   10 Jahre

12 Jahre   14 Jahre   16 Jahre

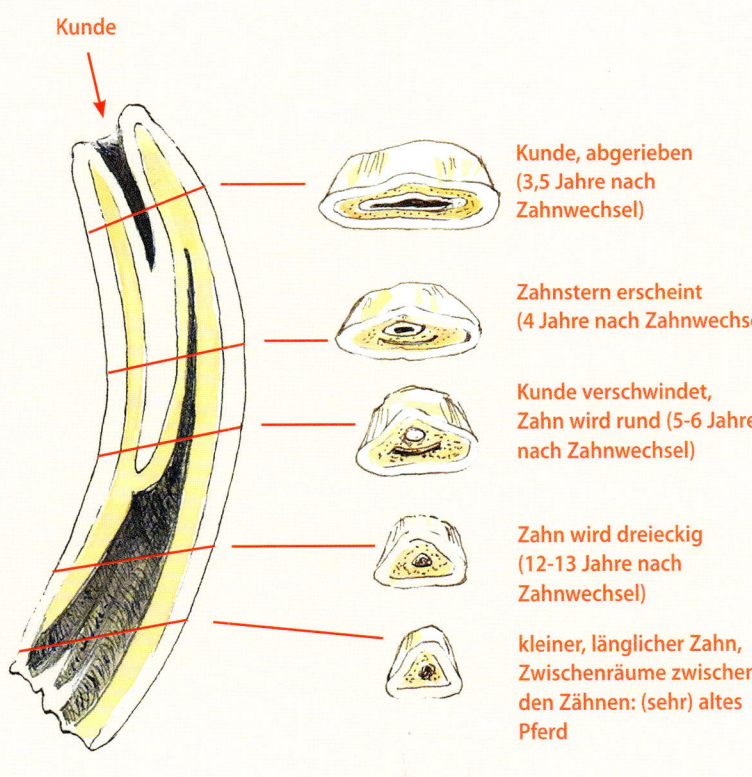

Kunde

Kunde, abgerieben
(3,5 Jahre nach
Zahnwechsel)

Zahnstern erscheint
(4 Jahre nach Zahnwechsel)

Kunde verschwindet,
Zahn wird rund (5-6 Jahre
nach Zahnwechsel)

Zahn wird dreieckig
(12-13 Jahre nach
Zahnwechsel)

kleiner, länglicher Zahn,
Zwischenräume zwischen
den Zähnen: (sehr) altes
Pferd

Bis zum Alter von etwa 12 Jahren nutzen sich die
Zähne etwa 2 mm pro Jahr ab und verändern
daher ständig ihre Form.
Danach verläuft die Abnutzung langsamer, da
die Zähne im Ober- und im Unterkiefer nicht
mehr so stark aufeinander drücken. Das Pferd
kann dadurch auch weniger gut kauen.

SUCHBILD

Wie alt ist dieses Pferd?

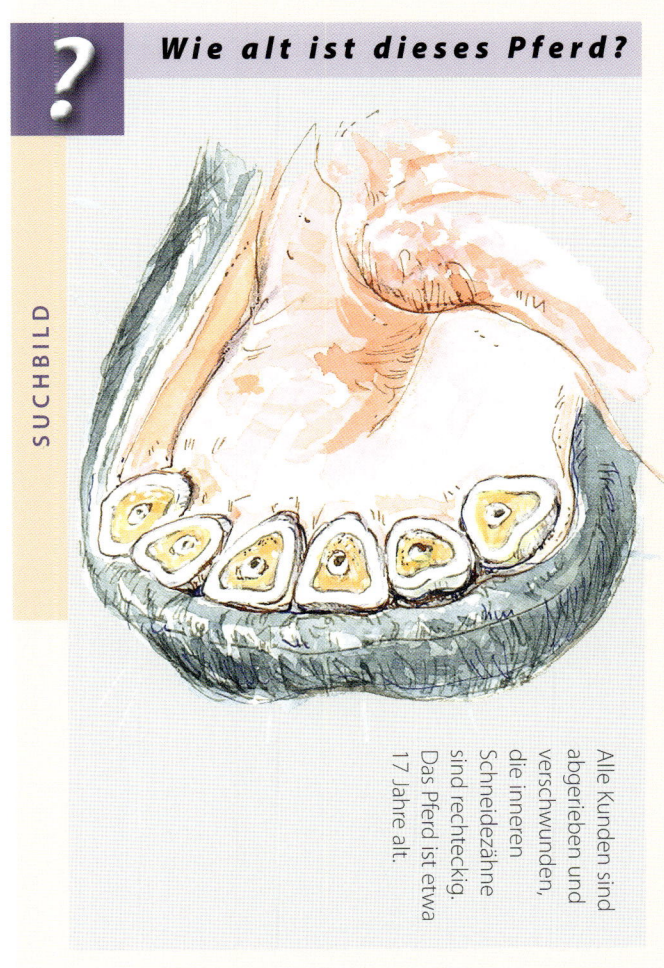

Alle Kunden sind
abgerieben und
verschwunden,
die inneren
Schneidezähne
sind rechteckig.
Das Pferd ist etwa
17 Jahre alt.

KAPITEL 8

Bei der Arbeit

Damit alles mühelos, leicht und selbstverständlich aussieht, ist viel Arbeit erforderlich.

Für jede Leistung ist eine gute Basis erforderlich. Beim Reiten besteht diese aus einem gesunden Pferd und klaren Regeln zwischen Pferd und Reiter. So können Sie das Tempo kontrollieren und das Pferd nimmt die gewünschte Haltung ein. Erreicht wird dies durch den „Belohnungszyklus": Aktion -> Reaktion -> Belohnung.
Natürlich müssen auch Sattel und Zaumzeug gut passen. In diesem Kapitel geht es vor allem um berittene Pferde, aber für Gespanne gelten dieselben Trainingsgrundsätze.

Verwenden Sie täglich eine saubere und trockene Schabracke (Decke unter dem Sattel). Eingetrockneter Schweiß und lose Haare werden hart und scheuern und können so Druckstellen beim Pferd verursachen oder die Haut reizen. Verschwitzte Decken sollten nach zwei Tagen gewaschen werden.

DER SATTEL-TEST
LIEGT DER SATTEL GUT? MACHEN SIE DEN SATTEL-TEST!

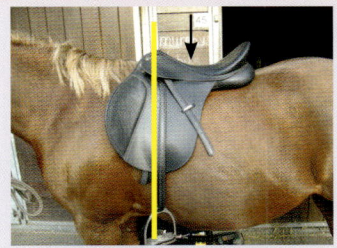

1. Schieben Sie den Sattel vom Hals in Richtung Schweif, bis er richtig sitzt. Der tiefste Punkt befindet sich in der Mitte des Sattels (schwarzer Pfeil), sodass Sie gerade sitzen können. Gerade bedeutet, dass sich Schulter, Hüfte und Ferse in einer senkrechten Linie befinden. Der Vorderzwiesel liegt auf der Höhe des Sattelknopfs. Das Lot vom Vorderzwiesel aus (gelbe Linie) verläuft hinter der Schulter des Pferdes. So hat das Tier Bewegungsfreiheit.

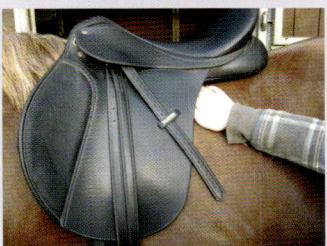

2. Fühlen Sie mit der Hand unter dem Polster, ob der Sattel auf dem ganzen Rücken aufliegt. Wenn die Hand nicht darunter passt, ist der Druck gut verteilt.

3. Zwischen Widerrist und Sattel passen vier Finger. Beim Reiten senkt sich der Sattel. Es müssen mindestens zwei Fingerbreit Zwischenraum übrig bleiben.

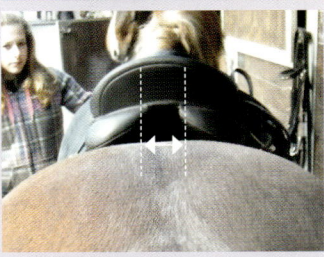

4. Die Sattelkammer befindet sich von hinten aus gesehen mittig über dem Rücken. Er muss breit genug sein, damit die Wirbelsäule frei liegt. Bei einem durchschnittlichen Pferd beträgt die Kammerweite 6 cm.

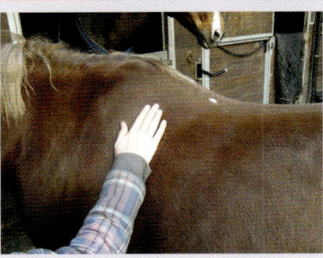

5. Weiße Haare sind Narben von Satteldruckstellen. Auch Dellen in der Muskulatur hinter dem Schulterblatt deuten auf einen schlecht sitzenden Sattel hin. Ein Sattel muss immer von einem professionellen Sattler angepasst werden.

Sattelzwang

Manche Pferde reagieren beim Aufsatteln mit negativem oder ausweichendem Verhalten, etwa Stangenbeißen, Kopfschütteln, Wegdrehen, Beißen, Treten oder Zusammenzucken. Solches Verhalten wird Sattel- oder Gurtzwang genannt.

Das Pferd bringt so zum Ausdruck, dass es nicht aufgesattelt werden möchte. In den meisten Fällen ist die Ursache ein schlecht sitzender Sattel. Überprüfen Sie diesen oder lassen Sie ihn von einem Fachmann kontrollieren.

Eventuell hat das Pferd auch frustrierende Erfahrungen beim Reiten gemacht, das ja auf das Aufsatteln folgt. Sorgen Sie daher für Spaß und Abwechslung bei der Arbeit.

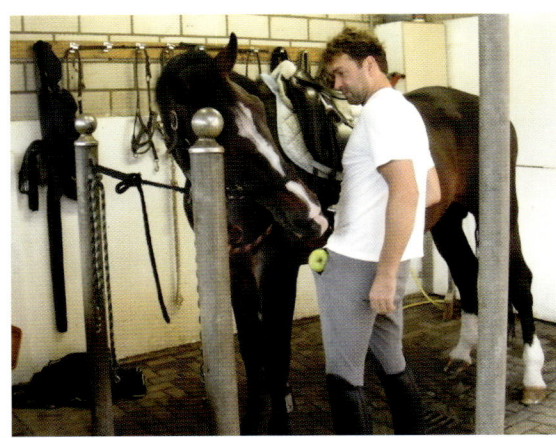

Auch wenn der Sattel wieder passt, kann der Sattelzwang bleiben. Es handelt sich um erlerntes Verhalten, das nur schwer wieder abgewöhnt werden kann. Kleine, positive Ablenkungen können dabei helfen, etwa ein Apfel beim Aufsatteln.

Gebiss und Zügelführung

Das Gebiss liegt im zahnfreien Bereich zwischen Schneide- und Backenzähnen. Es ruht auf dem Kiefer; nur die Mundschleimhaut befindet sich dazwischen. Diesen sehr empfindlichen Bereich nennt man „Laden". Wird an den Zügeln gezogen, drückt das Gebiss auf die Laden, also auf Mundschleimhaut und Knochen. Je dünner das Gebiss ist, desto schneidender ist der Druck. Ist das Gebiss aber zu dick, kann das Pferd sein Maul nicht mehr schließen.

Denken Sie daran, dass ein weiches Gebiss nur bei einer weichen Hand wirklich weich ist.

Gebissarten

Gebisse gibt es in vielen verschiedenen Formen. Die einfachste Form ist die einfach gebrochene Wassertrense. Sie besteht aus zwei Stangen, die über ein Gelenk in der Mitte miteinander verbunden sind, und zwei Ringen, an denen die Zügel befestigt werden. Darüber hinaus gibt es auch doppelt gebrochene Gebisse mit zwei Gelenken. Ein doppelt gebrochenes Gebiss drückt nicht in den Gaumen und liegt daher angenehmer im Mund. Stangen ohne Gelenke haben eine stärkere Wirkung im Mund. Das Gebiss muss gut in das Maul passen, darf also nicht zu breit, zu schmal oder zu dick sein. Welches Gebiss passt, muss ausprobiert werden.

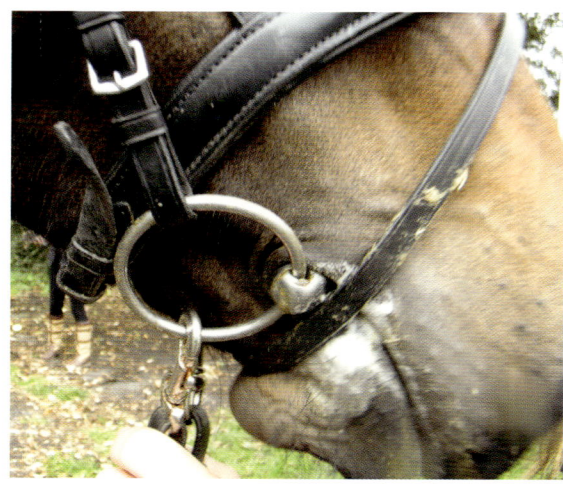

Das Gebiss liegt gut im Maul, wenn zwei Falten im Mundwinkel zu sehen sind. Wie hoch das Gebiss im Maul liegt, hängt von der Länge des Backenstücks (Riemen neben dem Auge) ab. Liegt das Gebiss zu hoch, berührt es die Backenzähne, was für das Pferd unangenehm ist.

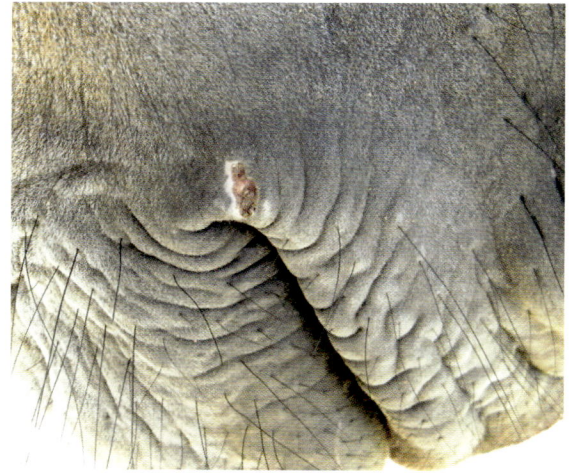

Untersuchen Sie nach dem Reiten die Lippen (innen und außen) und den Kiefer auf Wunden und Rötungen hin. Schmerzhafte Wunden in den Maulspalten entstehen, wenn zu hart an den Zügeln gezogen wird oder wenn die Haut zwischen Gebiss und Trensenring eingeklemmt wird. Auch alte, rostige Stangen können die Ursache sein.
Solche Wunden brauchen Zeit, um zu Heilen. In dieser Zeit kann das Pferd kein Gebiss tragen. Tragen Sie erforderlichenfalls Melkfett oder Wundsalbe auf, damit die Wunden nicht bei jedem Kauen wieder aufplatzen. Gebissscheiben aus Gummi verhindern, dass die Haut wieder eingeklemmt wird.

Die Reiterin ist der Ansicht, das Pferd reagiere unzureichend auf das Gebiss. Es läuft einfach weiter. Die Reiterin bekommt es nicht unter Kontrolle, egal, wie stark sie zieht. Ein schärferes Gebiss würde mehr Druck im Maul erzeugen. Das Tempo des Pferdes wäre besser kontrollierbar. Damit wäre das Problem aber nicht gelöst. Die Frage ist: Warum läuft das Pferd so schnell? Es ist ein Fluchttier und rennt, weil es Angst hat oder weil es den Reiter nicht versteht. Beseitigen Sie also die Ursache, dann ist kein schärferes Gebiss erforderlich.

Bandagen sehen schön aus, können aber das Bein einschnüren, sich lösen oder innen sehr warm werden. Bei höheren Temperaturen kommt es schneller zu einer Überlastung der Sehnen und in der Folge zu Verletzungen. Verwenden Sie daher luftdurchlässige Gamaschen.

Die Sehnen im unteren Bereich eines Pferdebeins halten Kräfte bis zu 3000 kg aus. Gamaschen helfen nicht, diese Kräfte abzufangen, wohl aber ein gut federnder Boden. Aus diesem Grund wurde hier Filz zur Verbesserung der Elastizität des Reitbahnbodens verwendet.

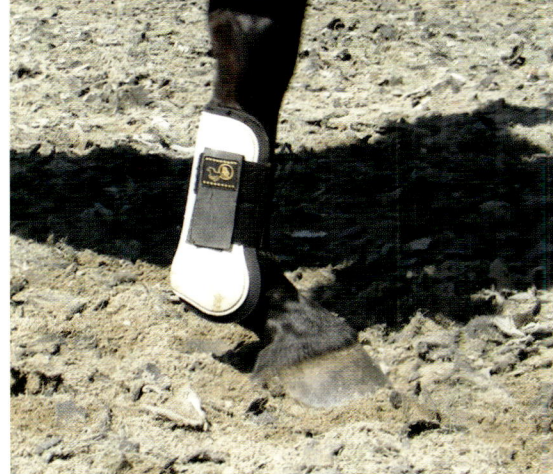

Auch an den Hinterbeinen können Streichkappen erforderlich sein, etwa wenn das Pferd selbst dagegen schlägt.

Gamaschen

Gamaschen verhindern Verletzungen durch die eigenen Hufe oder von außen, etwa durch einen Sprungbalken. Sie sorgen für zusätzliche Unterstützung für Sehnen und Gelenke.

Bandagen dagegen können das Bein einschnüren und abrutschen. Gamaschen sind sicherer.

SUCHBILD

Sitzt die Reiterin gut auf?

Die Reiterin benutzt zum Aufsitzen einen Schemel. Dies ist zu empfehlen, denn so zieht sie nicht so lange an Sattel und Widerrist. Allerdings sollte der Schemel etwas näher am Pferd stehen, damit der Sattel noch weniger auf die Seite gezogen wird. Sitzen Sie auch regelmäßig von der anderen Seite auf. Schließlich tragen Reiter heutzutage keine Schwerter mehr auf der linken Seite und so werden Sattel und Pferderücken gleichmäßiger belastet.

Tragen Sie zu Ihrer eigenen Sicherheit immer Reitstiefel und einen Helm.

Geritten werden: vorwärts-abwärts und in die Versammlung

Bei einem frei laufenden Pferd tragen die Vorderbeine 3/5 des Körpergewichts und 2/5 lasten auf den Hinterbeinen. Dieser Unterschied kommt vor allem durch das Gewicht von Hals und Kopf zustande. Ein Reiter sitzt näher an den Vorder- als an den Hinterbeinen und ragt über das Pferd hinaus. So verlagert sich der Schwerpunkt etwas nach vorn und nach oben. Das zusätzliche Gewicht lastet vor allem auf den Vorderbeinen und das Pferd kann leichter umfallen.

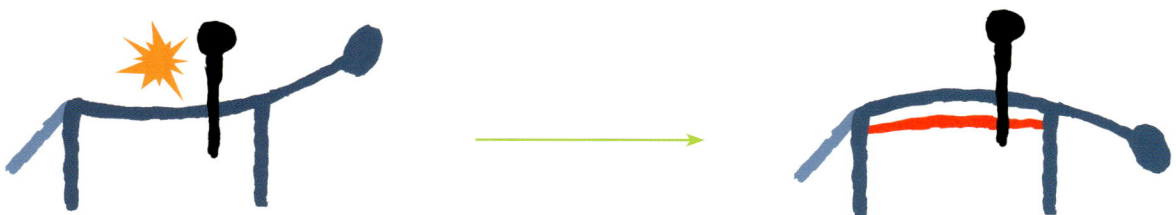

Untrainierte Pferde lassen den Rücken unter dem Gewicht des Reiters durchhängen. Dadurch verkrampft der Rücken und es können Schmerzen entstehen. Damit der Reiter vernünftig getragen werden kann, muss das Pferd die Bauchmuskeln (Unterlinie, rot) anspannen und die Rückenmuskeln entspannen. Rücken und Hals wölben sich auf, „das Pferd geht vorwärts-abwärts".

Mit nach oben aufgewölbtem Rücken wird der Reiter richtig getragen, aber es lastet immer noch zu viel Gewicht auf den Vorderbeinen. Das Pferd muss jetzt seine Hinterhand absenken, also untertreten, und dazu das Becken kippen, die Hinterbeine beugen und diese weiter vorn unter dem Körper aufsetzen. Dies nennt man „Versammlung". Die Hinterbeine tragen jetzt mehr Gewicht und so haben die Vorderbeine mehr Bewegungsfreiheit.
In den meisten Pferdesportdisziplinen kann das Pferd sich so leichter und besser bewegen und hat mehr Ausdauer. Außerdem sinkt das Verletzungsrisiko, vor allem an den Vorderbeinen. Allerdings muss dafür die Muskelkraft trainiert und viel geübt werden.

Krumm oder hohl

Die weiße Linie zeigt den Verlauf der Wirbel des Pferdes an: von den Ohren über die Mitte des Schulterblatts bis zum Hüfthöcker (siehe hierzu auch die Illustration auf Seite 25). Der Winkel im oberen Foto ist kleiner als im unteren Foto. Hier ist der Rücken hohler. Auf dem unteren Foto läuft das Pferd besser über den Rücken.

Die schwarze Linie durch den Hüfthöcker verläuft gerade nach unten. Auf dem unteren Foto kommt das Hinterbein mindestens 20 cm weiter nach vorn (unter den Körper) und trägt daher mehr Gewicht. Die vordere schwarze Linie verläuft ebenfalls gerade nach unten. Auf dem unteren Foto liegt die Nase weiter hinter der Linie. Bei Wettkämpfen werden Punkte abgezogen, wenn sich die Nase zu weit hinter der senkrechten Linie befindet.

Außerdem deuten einige Signale auf Stress und Frustration hin, etwa das Schweifschlagen, das geöffnete Maul und die nach hinten gedrehten Ohren. Nicht auf dem Foto zu erkennen ist, dass das Pferd oben schneller und hastiger läuft und mehr Druck auf dem Zügel annimmt. Die Reiterin hängt dadurch etwas nach hinten. Das Pferd unten hat ein ruhigeres Tempo.

Schritt gehen

Am Anfang jeder Trainingseinheit sollte das Pferd 10 Minuten entspannt im Schritt gehen. Ist es dabei nicht entspannt, hat es wahrscheinlich an diesem Tag zu wenig Bewegung gehabt oder es ist bei der Arbeit noch sehr aufgeregt. Wählen Sie dann die Longe, damit das Pferd die überschüssige Energie abbauen und sich dann beim Reiten auf Sie konzentrieren kann.

Nehmen Sie sich genug Zeit. Die Muskeln des Pferdes werden bei der Schrittarbeit aufgewärmt und die Durchblutung nimmt zu. Ist die Durchblutung zu schwach, wenn sich das Pferd intensiver bewegt, können die Muskeln übersäuern und es entsteht Muskelkater.

Abreiten (Lösungsphase)

Das Abreiten gliedert sich in zwei Phasen.

Phase 1: Rhythmus und Tempo: Achten Sie darauf, dass das Pferd Rhythmus und Tempo leicht wechseln kann.

Phase 2: Locker im Körper: Achten Sie darauf, dass das Pferd seine Muskeln gut einsetzt.

Auf den folgenden Seiten wird genauer auf diese beiden Phasen eingegangen. Sie bilden die Grundlage des Reitens. So lernt das Pferd, seinen Reiter entspannt und ausbalanciert zu tragen. Beide Phasen sollten bei jeder Trainingseinheit in der vorgegebenen Reihenfolge eingehalten werden. Manchmal kommen Sie dabei nur bis Phase 1, was aber nicht weiter schlimm ist, denn Phase 2 ist recht schwierig. Machen Sie den nächsten Schritt nur, wenn das Pferd bereit dafür ist. Morgen ist auch noch ein Tag.

PPRRH. Durch Schnauben bauen Pferde (mentale) Anspannung ab. Das Pferd entspannt sich, wenn auch Sie sich entspannen: Atmen Sie tief ein und tun Sie ein Weilchen gar nichts. Es ist besser, das Pferd eine halbe Stunde lang Schritt gehen zu lassen, bis es entspannt ist, als mit einem angespannten Pferd zu trainieren. Angespannte Pferde machen falsche Bewegungen und bekommen leicht Muskelschmerzen. Durch die falschen Bewegungen können bestimmte Übungen nur schwer ausgeführt werden. Das Pferd leistet dann Widerstand und es kommt zum ständigen Kampf mit dem Reiter.

Mithilfe der imaginären senkrechten Linie von der Stirn zum Boden wird angegeben, wie weit der Kopf zur Brust hin gebeugt ist: vor der Senkrechten oder hinter der Senkrechten.
Dieses Pferd läuft (mit der Nase) knapp hinter der Senkrechten.

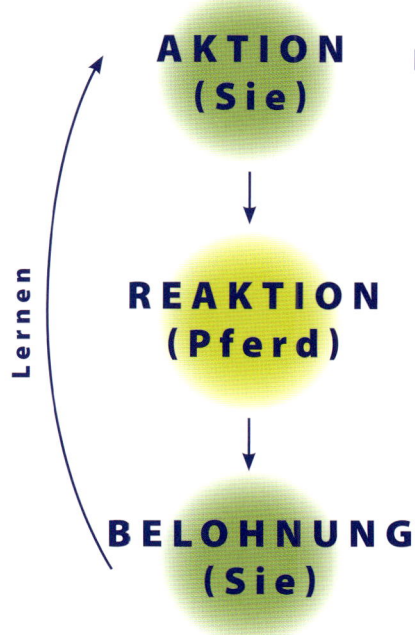

AKTION (Sie)

↓

REAKTION (Pferd)

↓

BELOHNUNG (Sie)

Lernen

Der Belohnungszyklus.
Näheres dazu auf Seite 70.

Den Rhythmus fühlen

Der Rhythmus, in dem das Pferd läuft, gibt Aufschluss über zwei Dinge:

1. **Ist das Pferd angespannt und hat zu viel Energie?**

   Dies ist am Tempo zu erkennen, welches das Pferd gehen möchte, am Rhythmus und daran, ob es sich leicht zurückhalten lässt.

2. **Setzt das Pferd alle Beine gleichmäßig ein?**

   Prüfen Sie, ob alle Beine sich Raum greifend und gleichmäßig bewegen. Steife Muskeln und Schmerzen in den Beinen beeinträchtigen die Bewegung

Tempowechsel

Die wichtigsten Rhythmusübungen sind: schneller und langsamer. Diese Übungen sind immer und überall und bei jedem Tempo möglich (Schritt, Trab, Galopp und Tölt).

1. **Vorwärts: aktiver**

   Aktion: Schenkel gegen Flanke drücken
   Reaktion: schnelleres Laufen
   Belohnung: Schenkel entspannt sich

2. **Zurück: langsamer auf Zügeldruck**

   Aktion: mehr Zügeldruck
   Reaktion: langsameres Laufen
   Belohnung: Zügel nachgeben

3. **Zurück: langsamer auf Sitzhilfe**

   Aktion: Sitz anspannen (schwerer machen durch Anspannung von Bauchmuskeln und unteren Rückenmuskeln)
   Reaktion: langsameres Laufen
   Belohnung: Sitz entspannen

Jede Gangart des Pferdes hat einen bestimmten Rhythmus, den Takt.

- Der Rhythmus im Trab, ein Zweitakt, entspricht dem Abfußen der jeweils diagonal zueinander stehenden Beine:

TACK	TACK	TACK	TACK	TACK	TACK	TACK	TACK

- Der folgende Rhythmus ist regelmäßig unregelmäßig und typisch für ein lahmendes Pferd.

TACK	TACK	----	TACK	TACK	----	TACK	TACK	----

- Der folgende Rhythmus ist unregelmäßig unregelmäßig und häufig bei jungen Pferden, die ihre Balance noch nicht gefunden haben, oder mental angespannten Pferden zu beobachten.

| TACK | TACK | TACK | ---- | TACK | TACK | ---- | TACK | TACK | TACK | ---- | TACK | ---- | TACK |

Beim Abreiten können Sie den Takt gut beurteilen, wenn Sie bei jedem Schritt „Tack" sagen. Noch leichter ist das mit geschlossenen Augen. Der Takt beim Schritt ist TACK-TACKTACK - TACK (Viertakt), beim Trab dagegen TACK---TACK (Zweitakt). Und beim Galopp?

Recken und Strecken

Genau wie Menschen, die vor dem Training Dehnübungen machen, müssen auch Pferde sich recken und strecken, um die Muskeln zu lockern und den Reiter gut tragen zu können. Dazu muss das Pferd während der Bewegung eine bestimmte Haltung annehmen. Sie erreichen dies durch Schenkel-, Sitz- und Zügelhilfen.

Die beiden Dehnübungen für Pferde sind:

- *Vorwärts-abwärts:* Dabei läuft das Pferd mit ausreichendem Tempo und tiefem, lang gestrecktem Hals. Pferde können den Hals lang und tief oder aber rund und gebogen tragen. Der Rücken ist entspannt.
- *Stellung und Biegung:* In Wendungen biegt das Pferd den Hals (Stellung) und den Rumpf (Biegung) in die Richtung, in die es geht: nach links oder rechts. Jedes Pferd hat eine Lieblingsseite, zu der es sich leichter biegt.

? Was geschieht hier?

SUCHBILD

Wenn der Reiter das Pferd im Genick zum Nachgeben bringen möchte (Hals rund machen), nimmt es den Kopf hoch und das Tempo zurück, weil es nicht genug vorwärts geht. Schmerzen im Rücken hat oder beim Nachgeben nicht belohnt worden ist. Achten Sie darauf, dass Ihr Pferd auf Schenkeldruck mit einem aktiveren Tempo reagiert. Geben Sie dieselbe Hilfe nochmals und belohnen Sie das Pferd durch Entspannung, sobald es nachgibt (auch wenn es nur kurz ist).

Das Pferd reagiert vorwärts auf die Schenkelhilfe des Reiters und gibt im Genick nach (rundet den Hals), wenn der Reiter die Hand schließt. Beim Öffnen der Hand (nach vorn strecken und Zügel nachgeben) muss das Pferd den Hals nach unten strecken: vorwärts-abwärts.

Dieses Pferd geht nicht vorwärts und nicht abwärts. Es hat Rückenschmerzen. Die Rückenmuskeln sind angespannt und wenn die Reiterin die Hand öffnet (Zügel nachgeben und Hände nach vorn strecken), streckt das Pferd den Hals nicht nach unten.

Hier wird mit dem rechten Zügel Stellung verlangt (Aktion). Das Pferd reagiert, indem es in der Wendung den Kopf nach rechts hält (Reaktion). Der Reiter lässt den Zügel dann locker und das Pferd lernt, dass es seine Sache gut macht (Belohnung).

Dieses Pferd neigt den Kopf und zieht am rechten Zügel. Die Muskeln auf der linken Halsseite bleiben steif und werden nicht gedehnt. Der Reiter hält den rechten Zügel zu lang. Halten Sie den Innenzügel nicht fest, wenn Sie Stellung verlangen, sondern geben Sie nach, wenn das Pferd Stellung annimmt (Belohnung). Reiten Sie dann weiter auf dem Außenzügel (hier der linke). Achten Sie darauf, dass Ihre Innenhand (hier die rechte) vom Hals weg bleibt und Sie nicht mit der rechten Hand über den Hals wieder nach links lenken.

Die Grundlagen zuerst

Sie haben Ihr Pferd in zwei Phasen gelöst. Diese beiden Phasen sind die Grundlagen für die Arbeit mit jedem Pferd. Sie werden auch in E- und L-Dressurprüfungen verlangt. Wenn die Grundlagen funktionieren, können Sie an der Verlagerung von Gewicht auf das Hinterbein arbeiten. Dies ist wichtig bei der Dressur, beim Training für Distanzritte und beim Springen über Hindernisse.

Sorgen Sie beim Training für Abwechslung. Kombinieren Sie Basisarbeit mit Ausritten, Sprüngen oder Bodenarbeit, zum Beispiel Longieren. So bleibt das Pferd geistig gesund und seine Aufnahmefähigkeit verbessert sich.

Was sehen Sie und was ist zu tun?

Dieses Pferd trägt den Schweif ständig links. Die Reiterin hängt nach rechts. Das rechte Bein ist tiefer und auch der Sattel hängt nach rechts. Auf dem rechten Zügel ist mehr Druck. Das Pferd läuft schief gebogen nach links. Stellung und Biegung nach rechts sind so sehr schwierig. Fast jedes Pferd ist von Natur aus leicht schief und auch jeder Reiter hat eine Seite, die ihm leichter fällt. Richten Sie das Pferd gerade und bitten Sie erforderlichenfalls einen Fachmann um Hilfe.

Körperliche und geistige Verfassung

Für die Basisarbeit benötigt jedes Pferd eine ausreichende Grundkondition und genügend Kraft. Wenn ein Pferd mehr leisten muss, als eine Stunde pro Tag Reiten auf der Bahn, müssen das Trainingsprogramm und die Ernährung darauf abgestimmt werden. Berücksichtigen Sie außerdem, dass das Training ein Pferd auch geistig sehr fordert. Es muss alles verstehen, lernen und über längere Zeit konzentriert arbeiten können. Jungen Pferden fällt das schwerer als älteren.

Achten Sie beim Auslaufen bzw. Trockenreiten auf die Atmung des Pferdes. Nasenflügelatmung und Pumpen müssen ganz verschwinden. Bei der Nasenflügelatmung bewegen sich die Ränder der Nüstern im Rhythmus der Atmung. Beim Pumpen atmet das Pferd schwer aus dem Bauch. Wenn Sie auf ihm sitzen, fühlen Sie bei jedem Atemzug einen Schub.
Bei diesem Pferd ist der Bauch eingezogen. Der Dickdarm ist leer, weil es zu wenig Raufutter erhalten hat.

Lassen Sie die Zügel nach der Arbeit oder zwischendurch kurz schleifen, damit das Pferd den Hals strecken kann, und reiten Sie einige Runden in ruhigem Trab. Das sorgt für geistige Entspannung und hält die Durchblutung der Muskeln im Gang. So wird Milchsäure aus den Muskeln abtransportiert und es entsteht kein Muskelkater. Der weiße Schaum zwischen den Hinterbacken ist Schweiß.

Nach einer Anstrengung muss ein Pferd abkühlen. Durch die Atmung verliert es Wärme über die Lungen und durch Schwitzen, Strahlung und Luftströmung auch über die Haut. Die Haut ist sehr gut durchblutet und von kleinen Blutgefäßen durchzogen, die sich weiten, wenn Kühlung gebraucht wird, und verengen, wenn es zu kalt ist. Wenn Sie die Haut Ihres Pferdes nass machen, fördern Sie die Abkühlung.

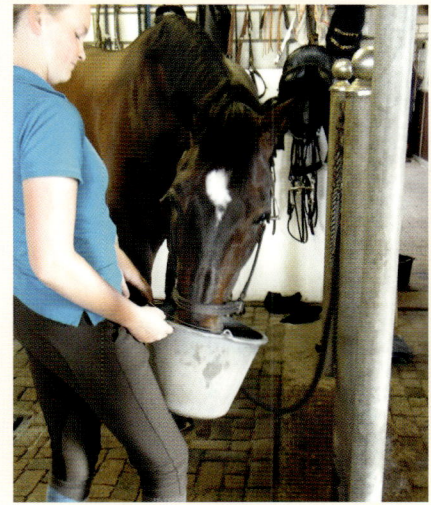

Das Pferd hat beim Reiten geschwitzt und ist durstig. Geben Sie ihm lauwarmes Wasser und nicht zu viel davon: höchstens einen halben Eimer. Viel kaltes Wasser kann Bauchschmerzen verursachen.

Ein verschwitztes Pferd kann bei warmem Wetter mit einem Schwamm und lauwarmem Wasser abgerieben werden. Bei einer Körpertemperatur über 39 °C ist stärkere Kühlung erforderlich, etwa mit einigen Flaschen mit kaltem Wasser. Auch eine Abschwitzdecke, Stroh oder eine halbe Stunde in der Sonne beschleunigen das Trocknen. Außerdem können Sie das Pferd im Sand rollen lassen. Festklebender Schweiß juckt, zieht Schmutz an und isoliert schlecht. Stellen Sie das Pferd erst dann in den Stall, wenn es trocken ist.

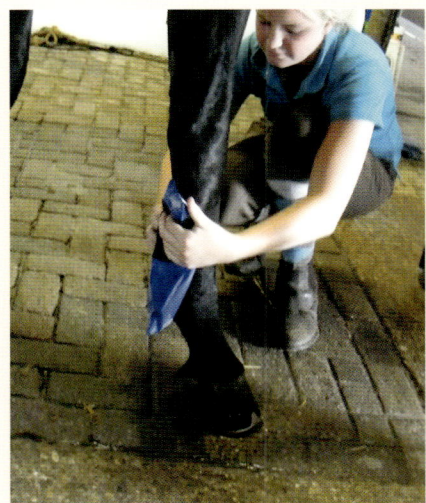

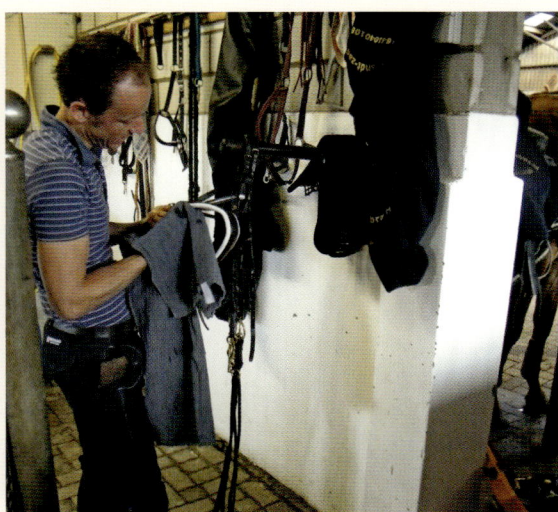

Durch das Kühlen der Beine nach dem Reiten werden Schwellungen verhindert. Ein kalter Wasserstrahl oder Schritt gehen auf hartem Boden eignen sich dafür genauso wie diese Kühlpads.

Ist das Pferd nach dem Training wieder zu Atem gekommen, kann es grundsätzlich gefüttert werden. Dieses Pferd bekommt Luzerne und Müsli.

Auch der Sattel und das Zaumzeug müssen nach dem Reiten gepflegt werden. Reinigen Sie beides mit Wasser und Lederseife. So entstehen keine Scheuerstellen und das Leder bleibt geschmeidig.

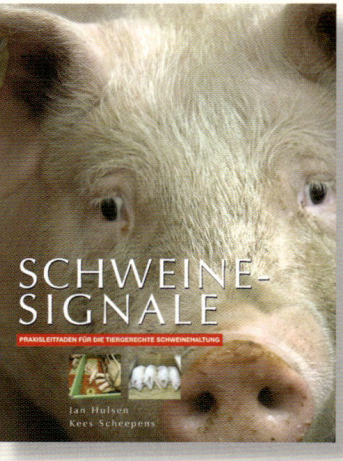